プロのための
ボイストレーニングと
誤嚥性肺炎予防法は
同じ筋力トレーニング!

POWER OF VOICE

声はエネルギーです。ひとりひとりが放つその人の力です。

人の第一印象は、その人の見た目以上に声から受け取ります。

自分に自信のある人、ない人。人生を楽しんでいるかどうか。

声にはその人自身の性格や人生さえも現れます。

また、声は健康のバロメーターでもあり、あなた自身の心身の状態がわかります。

声のトレーニングをすることにより、あなたの声が変われば、きっと人生も変わります。

声のトレーニングはいつでも、どこでも、どなたでもできます。
T.V.Pのボイスプログラムで、あなた自身で効果を実感して頂けるはずです。

是非、一緒に体感してみましょう。

はじめに

私は、ボイストレーナーとして、主にアーティスト志望、ミュージカルや舞台俳優志望、または趣味で歌や音楽を楽しんでいる方などの「声」のトレーニングをさせて頂いています。

近年では、ご年配の方々にボイストレーニングを行う機会が増えていく中、「声枯れがなくなった」「声がはっきりしてきた」「以前より高い声が出せる様になった」「むせなくなって、誤嚥しなくなった」などの声や、病気を患っている方、障がいをお持ちの方からも、「体調が良くなり、ストレス発散になった」「障がいのある私たちが歌える場があるなんて、嬉しい！」という声もたくさん頂けるようになりました。

そのようなことから、私が教えているボイストレーニングが、音楽のためだけではなく、他の何かに役立つのではないかと思うようになり、まずは、高齢者の健康維持のためのお手伝いが何かできないかと、嚥下機能改善法や誤嚥性肺炎予防のための方法論を勉強し始めてみると、私が現在教えているボイストレーニングと共通点が多くあることに気が付きました。

そこで、試験的に嚥下機能改善メニューをレッスンに取り入れてみると、効果を体感した受講者が増えはじめ、口コミで評判が広がり、企業や公共施設からもトレーニングの依頼を頂くようになりました。

そうした要望に応えるために、改めて音楽のトレーニングと発声の機能改善を融合し、「声を鍛えて体も健康に美しくなる」オリジナルの発声トレーニングを取り入れたボイストレーニングを開発しました。

そして、新たなレッスンを開始していたところ、「講義を一度聞いただけでは覚えられないので、テキストはないのですか?」という声をきっかけに、今回本を出版することになりました。

これから更に、幅広い年代の方々に私のボイストレーニングが広がり、身近に感じていただけたら幸いです。

目次

第2部　実践編

第3部　ボイストレーニングの実例

第 1 部

理論編

第１章　Ｔ・Ｖ・Ｐのボイストレーニングとは

１．ボイストレーニングとは

ボイストレーニング（和製英語 voice ＋ training）とは、「声を出す」こと、すなわち発声の全般について考えながら行われる、喉や舌などの使い方を訓練することを意味し、発音の訓練なども含まれます。

発声が重要なポイントとなる声を使う職業に就いている方だけではなく、趣味の歌唱や人前で話す機会の多い方等にも共通する発声のトレーニングで、発声練習とも呼ばれています。

また、声は全身から出されますので、身体全体のトレーニングも合わせて行う場合もあります。

ボイストレーニングを指導する人をボイストレーナー（voice trainer）といい、英語圏ではボーカルコーチ（vocal coach）とも呼んでいます。

近年、ビジネスの場においても、「魅力的な声を出すことでコミュニケーション能力を高める」ことを目指す人や、生活の中での、健康維持のための発声の大切さを望む方向けのボイストレーニングが行われるようになり、ボイストレーニングに関する書籍も書店で多く目にする様になりました。

現在、ボイストレーニングの効果については、音楽関係者や、耳鼻咽喉科の医師等が研究を進めているようです。

2. 私のボイストレーニング方針

私のボイストレーニングは、恩師から学んだ発声練習を基本にしています。ボイストレーニングは、声を出すための基本です。理論的に声帯の仕組みを学ぶことにより、自身の弱点を知り、声力を付け改善していくことが、私が教えるボイストレーニングの方針です。

私は現在、受講者に声帯の仕組みを理論的に学んで頂きながら、ひとりひとりに合ったトレーニング方法を考え、発声のレッスンを行っています。トレーニングをすることによって、自分自身の声のストロングポイントやウィークポイントなどの特徴を理解し、改善していくことができます。

私は、ボイストレーニングを「声の調律」や「声帯の診察」だと思っています。声の悩みを抱える方が、どうすれば声を出しやすくなるか、正しい音はどうすれば出るか、また、どこの筋力を付ければ高音が出せるようになるかなど、その方法を教え伝えていくことが正しいボイストレーニングだと思っています。

私自身、ボイストレーニングを通して沢山のことを学び、成長させていただきました。今では、その経験がトレーニングをする上で大きな自信となっています。

３．ボイストレーニングのポイント

普段の呼吸量や滑舌、表情筋の働き、また、話し声や歌声、トーンや共鳴が「声」を作り出します。私たちが何気なく使っている「声」には、各個人の性格、喜怒哀楽などの感情や、病の前兆さえも現れます。あなたの心のＳＯＳが現れるのです。

歌を歌ったり、発声ボイストレーニングにより大きな声を出したり、声帯筋（内喉頭筋《ないこうとうきん》、声門開大筋《せいもんかいだいきん》、声門閉鎖筋《せいもんへいさきん》）を開閉させ、喉の周りの筋肉を鍛え、また腹式呼吸により横隔膜など腹筋、背筋も鍛えることで、歌唱の際の音域が拡がり高音が出せるようになることはもちろん、誤嚥性肺炎の予防や嚥下機能の改善などの効果が期待できます。

その関連性と発声の仕方についてこれから解説していきます。

ボイストレーニングのポイントは大きく二つに分けられます。

一つ目は「呼吸法」です。呼吸は、声を出すための基本といえます。

皆さんは普段、腹式呼吸をしているでしょうか？後程詳しく解説しますが、腹式呼吸での発声は、横隔膜《おうかくまく》や肋間筋《ろっかんきん》など体幹を鍛えることにもなりますので、とても重要です。ボイストレーニングの一環としてストレッチも積極的に行うようにしましょう（ストレッチの方法は別に解説します）。

二つ目のポイントは「発声法」です。

発声とは声帯が振動することによって起こる現象のことをいいます。肺や気管から送り出される「呼気」が、閉じている左右の声帯の間（声門）を通り抜けていくときに、声帯振動が起こって声が作られるのです。あくまでも声帯自体が筋肉運動として震えて音源となるのではあ

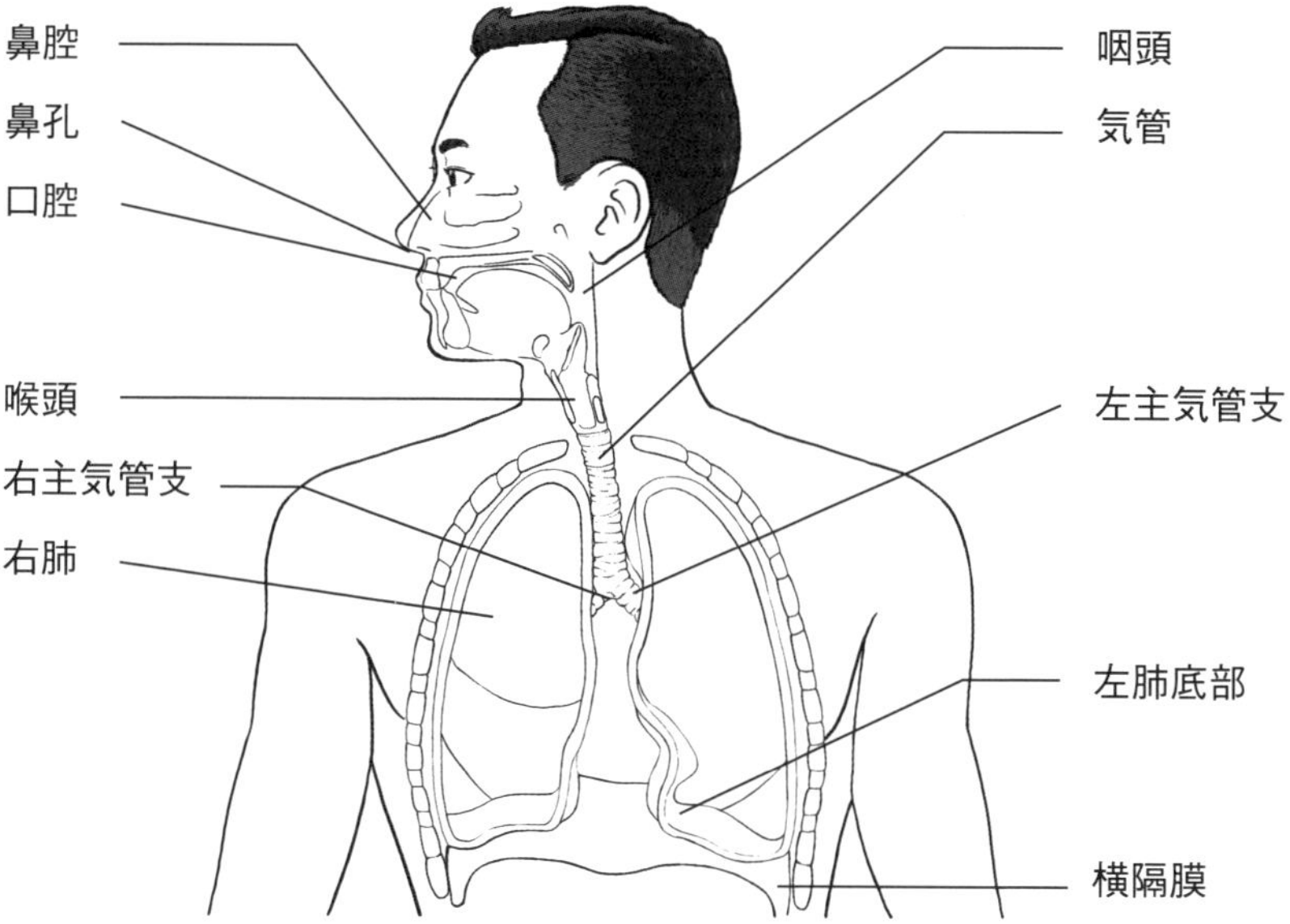

【人体の構造】

りません。

肺から出された呼気が持っている運動エネルギーが、声帯を通り抜けることで声という音エネルギーに変換されるのです。

声門を呼気が通り抜けると、内方に声帯を引き込む力と声帯自体の弾性のために声帯は閉じますが、その後、肺から来る呼気の圧力で閉じた声帯が押し開けられます。これを高速で繰り返すのが声帯振動です。しかし、声帯振動によって音は出ますが、それでは口から音が出ているだけなので、言葉にはなりません。

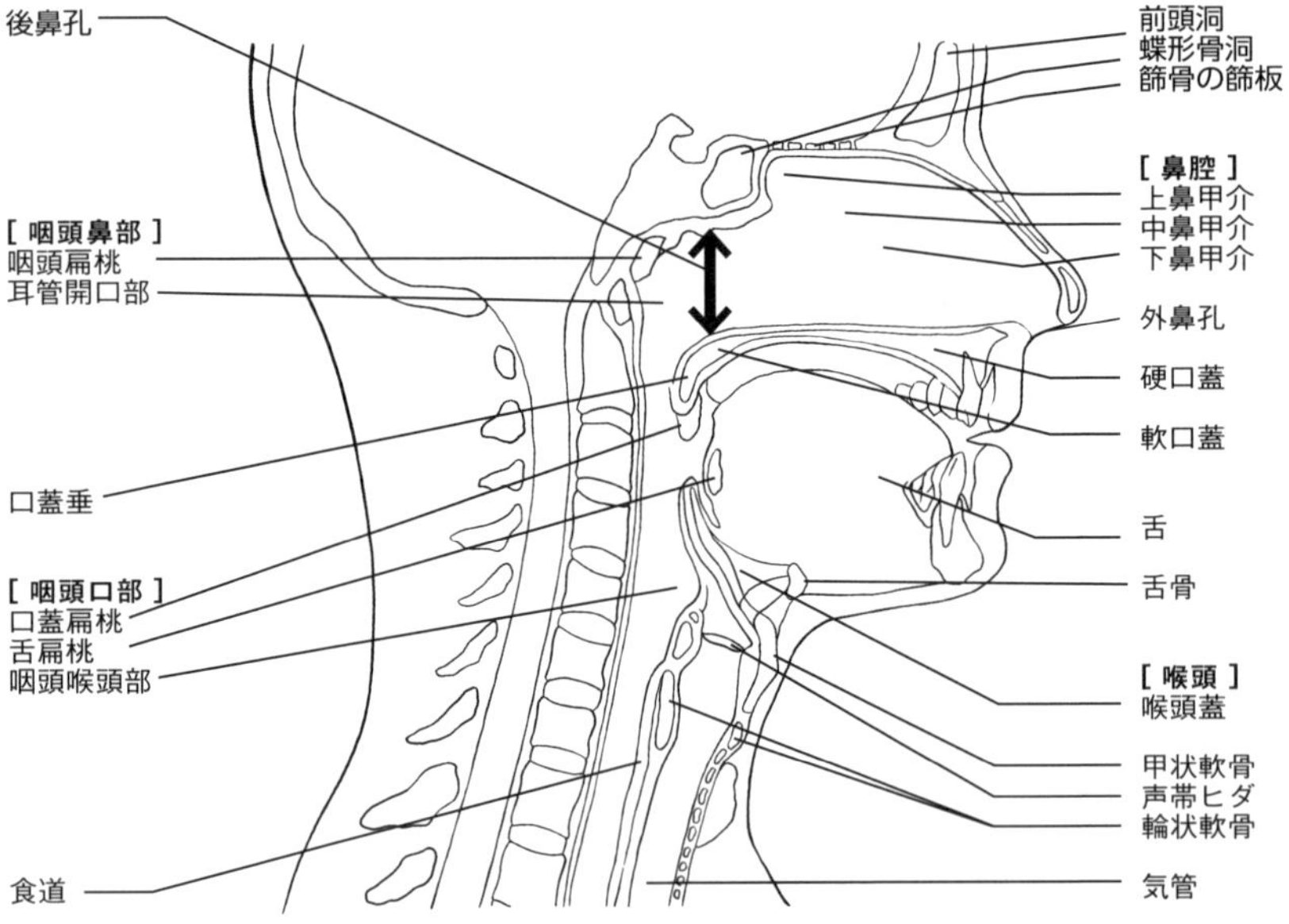

【頭部内の構造】

唇を閉じたまま、舌先を歯の裏につけて舌を動かさないで、話をしてみてください。声帯により何らかの「音」は出ますが、この状態では普通の「言葉」にはなりません。「音」を「言葉」に変えるには、口を開け、舌をしっかりと動かすことが必要です。

このように、声帯運動で作られた「音」をもとに、唇や舌を動かすことで「言葉」にする働きを「構音」といい、これも口や喉の働きの一つです。

口から出る「音」を「言葉」に変えるには、口を開閉させ唇や舌を動かすことが重要になります。

また、顎、唇、舌先、舌根《ぜっこん》、硬口蓋《こうこうがい》、軟口蓋《なんこうがい》、口蓋垂《こうがいすい》、咽頭の動かし方により、表現、イントネーションを作り、共鳴を使って言葉、感情の表現をしています。

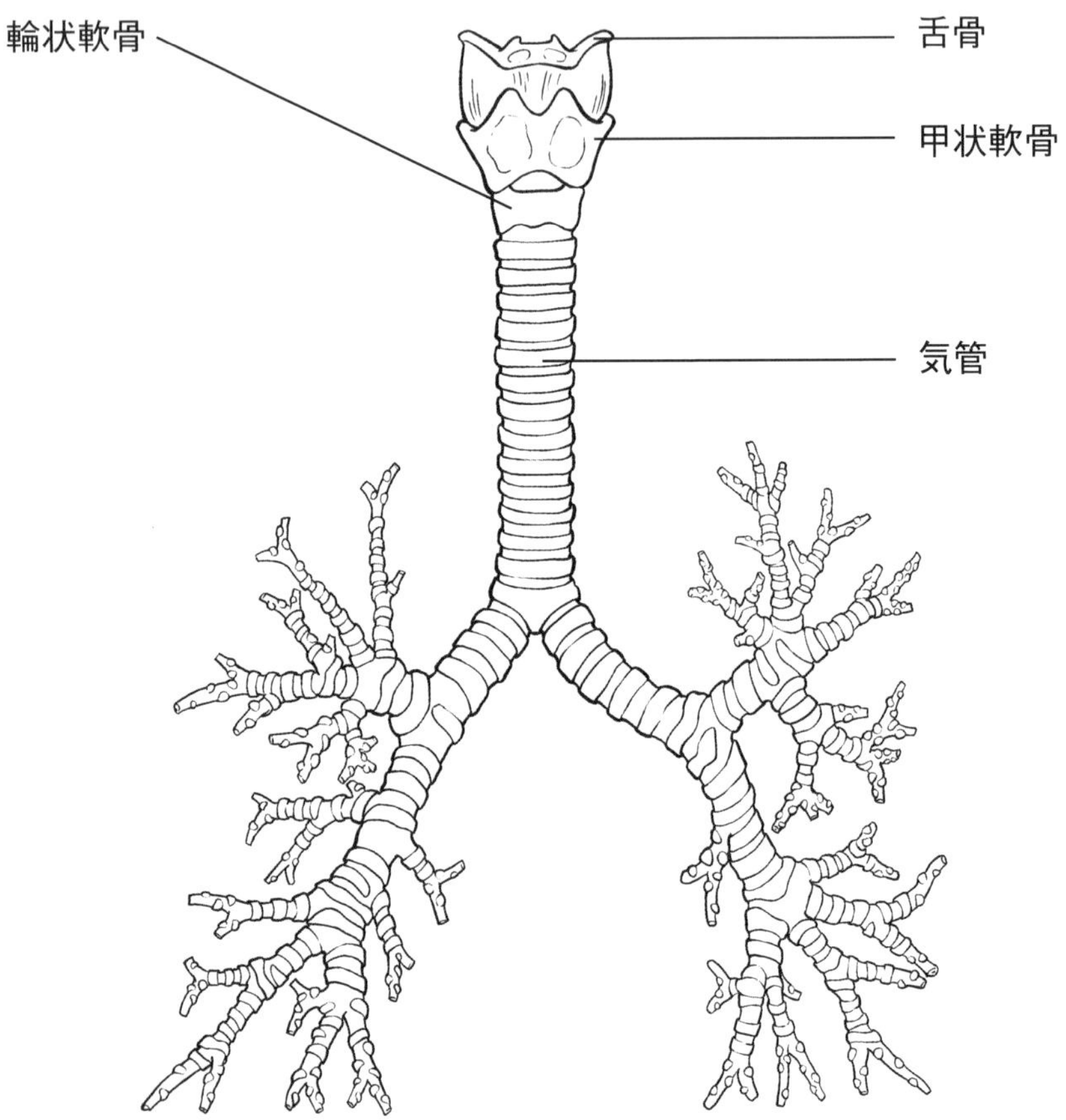

【気管の構造】

※真上から見た甲状軟骨内部

発声時

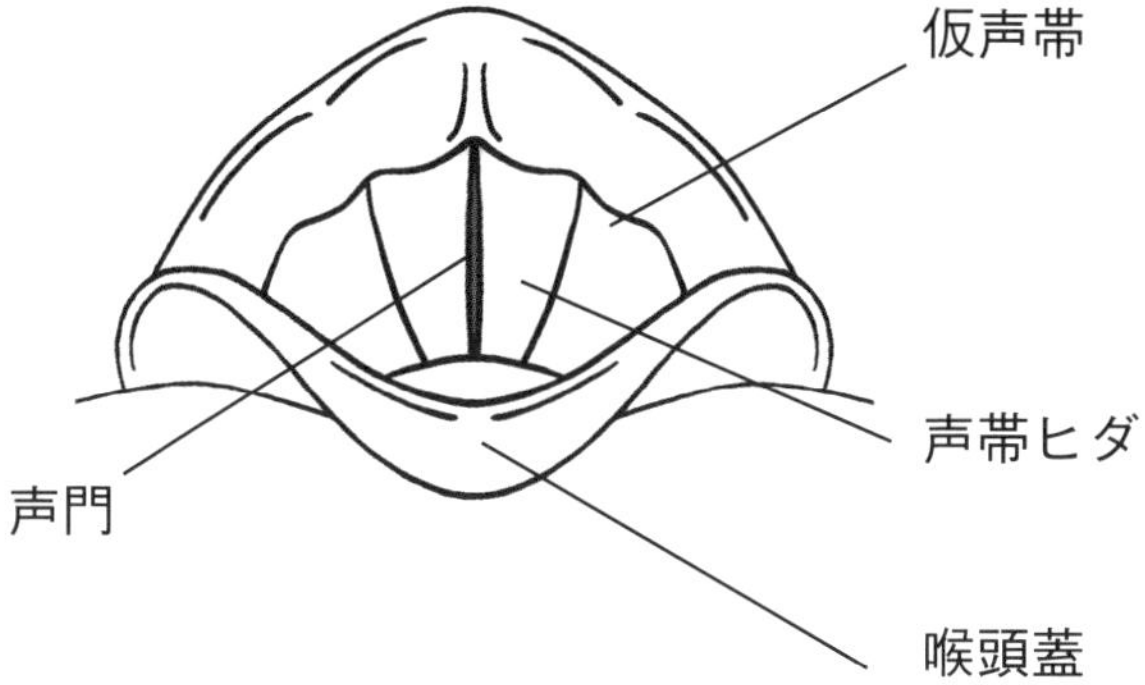

吸気時

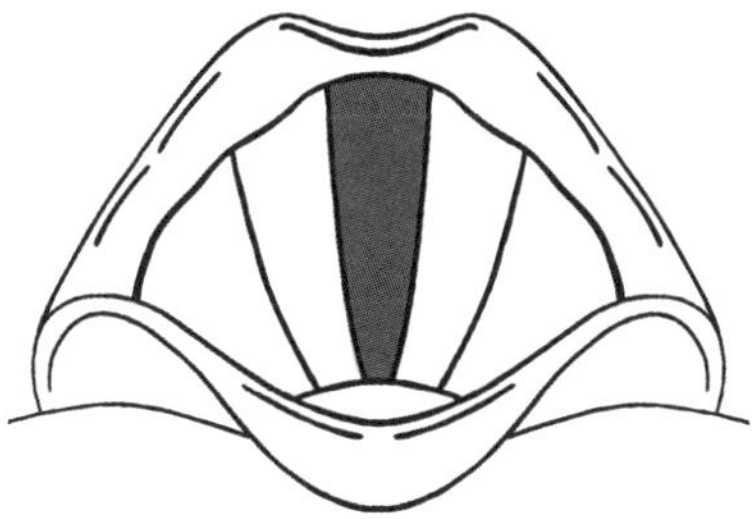

【声帯の動き】

コラム

音楽が脳で処理されるメカニズムについて

「音楽を聴く」という行為は、空気の振動が鼓膜を震わせることで生じた電気信号を脳が感知して音を感じる、ということだが、なぜ人間は音を「音楽」として感知するのかは脳科学が発達した現代でもあまりよくわかっていなかった。

人間の脳には聴覚野と呼ばれる領域があり、耳の神経からの信号を受け取って「音」として知覚する仕組みが備わっている。しかし、手を叩いたり物が地面に落ちたり水が流れたりといった「音」とは違う「音楽」を認知するために、人間の脳には別の仕組みが備わっていると考えられてきた。

その様子を初めて解明したのが、マサチューセッツ工科大学（MIT）の研究チームである。彼らは、脳内の血液の動きを視覚化する最新の装置「fMRI」を用いて脳の動きを解析し、人間の脳の中には従来明らかになっていた「話し声」を処理するものとは別に、音楽に特化した神経経路が備わっていることを明らかにした。

さらに注目すべき点は、人間の脳にある聴覚野では、話し声と音楽を処理するエリアが分かれており、それぞれ相反する入力に対しては無反応の動きをみせているのに、歌詞のある歌が耳に入ったときには、それらの領域が重なり合うように処理を始めるということである。

音楽を耳にしたとき、時には目の前でミュージシャンが演奏しているかのように錯覚することもあるが、音楽は単なる空気の振動の集まりであるのに、それを感じ取って脳内で解釈することで疑似的な映像を作り上げるというのは、脳に秘められた高度な処理能力の一つであるといえる。

（参考　マサチューセッツ工科大学研究チーム論文）

第２章　発声に必要な各部の機能

1. 喉の機能

(1) 喉の構造

喉には食道（消化管）と気管があり、物を食べると食べ物は口（口腔）から喉の奥に送られ、最後に食道から胃に入り消化されます。息を吸うと、空気は鼻（鼻腔）と口から喉の奥を通って気管から肺に入ります。

このように、咽頭は食べ物の通り道である消化管を形成し、喉頭は空気の通り道である気道を形成します。

また、食べ物を食べる際には、中喉頭において食べた物が喉頭から気道（気管）へ入らないような複雑な動きをしています。

【喉の構造】

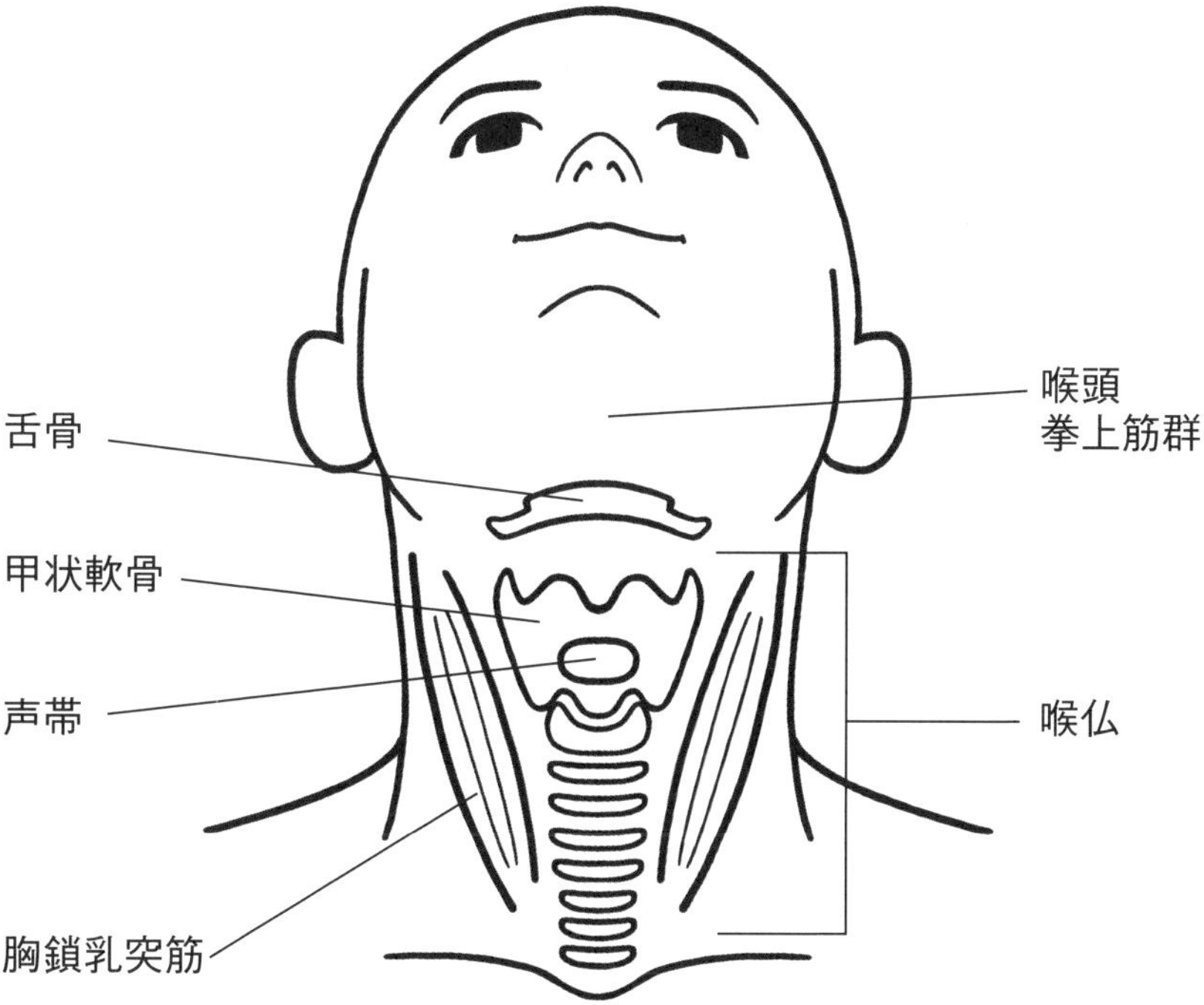
喉頭
拳上筋群
舌骨
甲状軟骨
声帯
喉仏
胸鎖乳突筋

(2) 喉の働き

喉の働きには、大きく分けて三つあります。①「嚥下」食べた物が気管に入ってむせないようにものを飲み込む働き。②「呼吸」気道を保つ働き。③「発声」声を出す働き。といった三つの機能がきちんと働くことが重要です。

① 嚥下

まずは、嚥下について簡単に説明します。普段食べ物を食べるとき、無意識に食べ物を飲み込んでいると思いますが、その際、喉は様々な部分がバランスよく機能することによって、嚥下運動をコントロールしています。喉頭蓋《こうとうがい》は、食べ物を食べる際に、誤って食べた物が気管へ入らないよう蓋の役割をしています。

物を食べるには、まず口を開けて、食べ物を口に入れ、次にそれを噛み砕き、飲み込み（嚥下）ます。そのとき重要なのは、食べ物が「口」から中咽頭、さらに下咽頭、食道へと送られる際に、誤って「鼻」や「喉頭」といった脇道に入り込まず、また「口」へと逆戻りしないことです。

　こういった機能が正常に行われれば、食べた物が気管に入ってしまう「誤嚥」や、食道へ正しく入っていかない「通過障がい」は起こりません。通常、喉の機能が正常に働いていれば誤嚥したときに反射機能が働き咳き込みますが、高齢者になると、その反射機能が老化現象によりうまく働かず、誤嚥していることに気付かないまま、肺炎を起こしてしまうケースがあります。

【物を飲み込むときの仕組み】

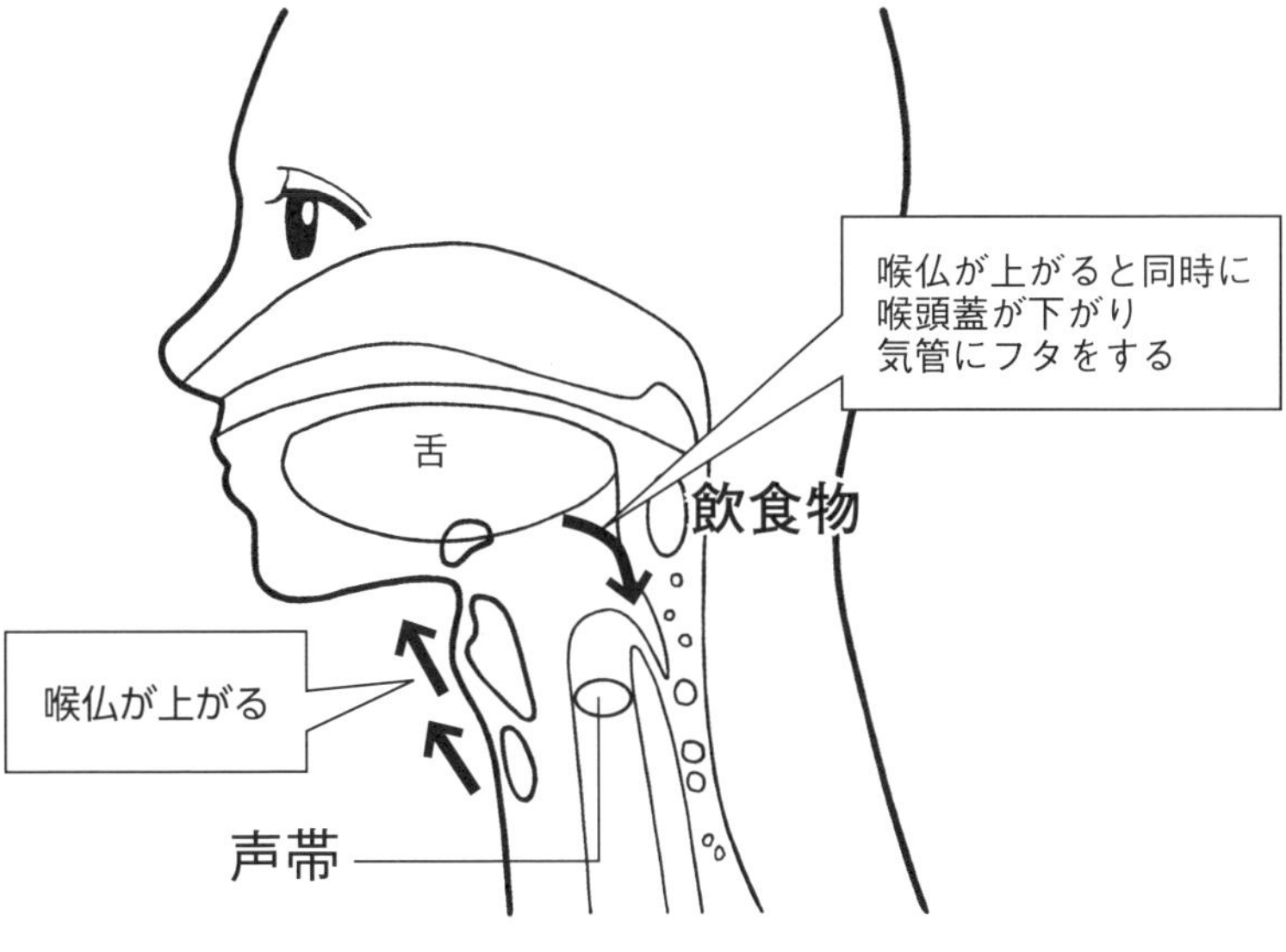

〈嚥下運動〉

1．口腔期

軟口蓋が挙上し、上咽頭が閉鎖することで、食塊が口腔へ戻ったり鼻腔へ入らないようにして、中咽頭へ入る。

2．咽頭期

舌根が食塊を推し進め、声門が閉鎖され喉頭が挙上し、喉頭蓋が倒れこむことで食塊が喉頭から気管へ入らないようにしている。

3．食道期

食道の上部を閉じている筋肉がゆるむことで食道の入口が開き、食塊は下咽頭から食道に送られる。

1. 口腔期

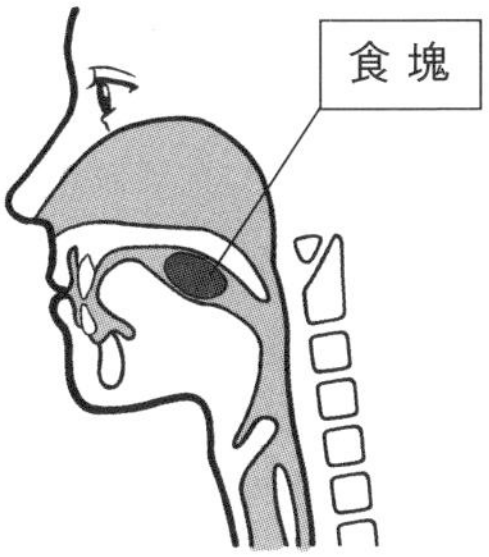

2. 咽頭期

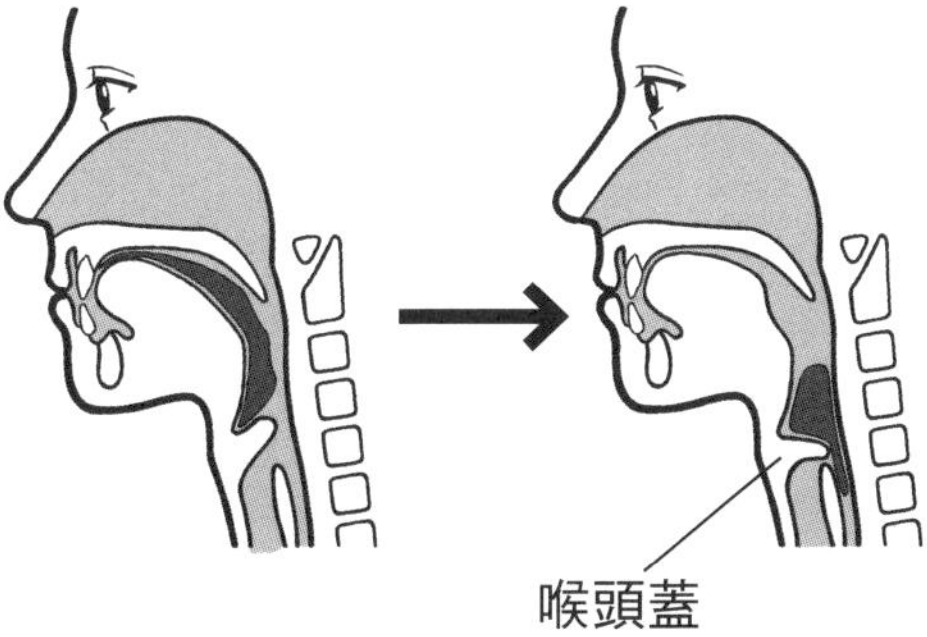

3. 食道期

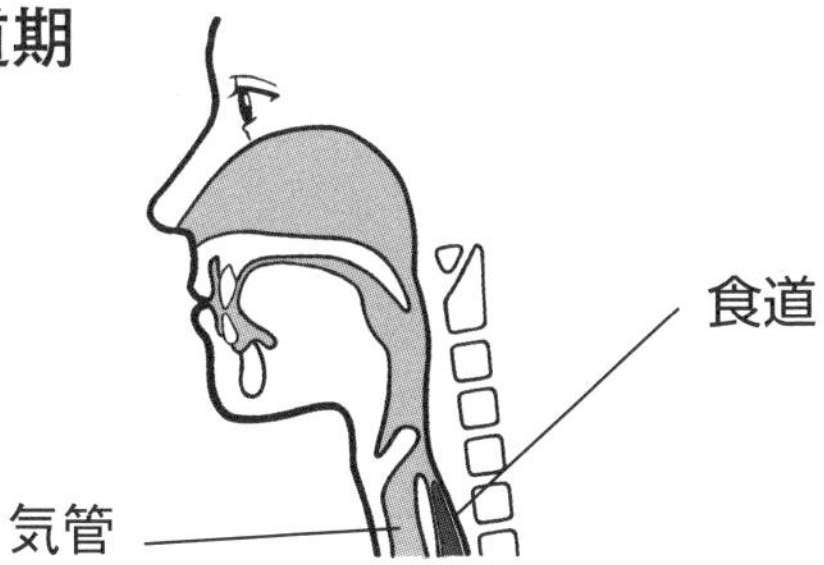

【 嚥下運動 】

②呼吸

呼吸には生物が生命維持のために必要なエネルギーを得るために、酸素を外界から取り入れ、二酸化炭素を排出する外呼吸（ガス交換）と、体液と細胞や組織のガス交換である内呼吸の二つがありますが、一般的には外呼吸のことを指します。簡単にいいますと、息を吸ったり吐いたりすることです。

肺全体の肺活量は約六〇〇〇mlあるといわれています。腹式呼吸（多い呼気量）で約三〇〇〇〜四〇〇〇ml。胸式呼吸（少ない呼気量）で約一〇〇〇ml以下。高齢者によっては日常生活の中で五〇〇ml以下ほどのガス交換のみをしているとも言われています。

呼吸筋、肋間筋、横隔膜の筋力が落ちると呼気量、吸気量の運動が弱まり、残気量が増えて代謝が落ち、甲状腺などに何らかの影響があると言われていますので注意が必要です。

③発声

発声とは、空気力学的エネルギーを、喉頭で音響エネルギーに変換するために喉頭の物理的特性を調整することです。言葉における音源の生成は、呼吸器官による空気エネルギーの供給、喉頭調節による音源生成、音響的調整のための調音運動の三つが協調することです。

参考『発声と声帯振動の基礎』日本音響学会誌
（内容一部変更）

2. 声帯の機能

声帯とは、喉仏（喉の奥、気道の入口近く）の甲状軟骨の中にある襞《ひだ》のことで、空気を出し入れするための蓋の役割をしています。呼気・吸気は、声帯スリット（声帯の間）を通過しています。

【真上から見た声帯】

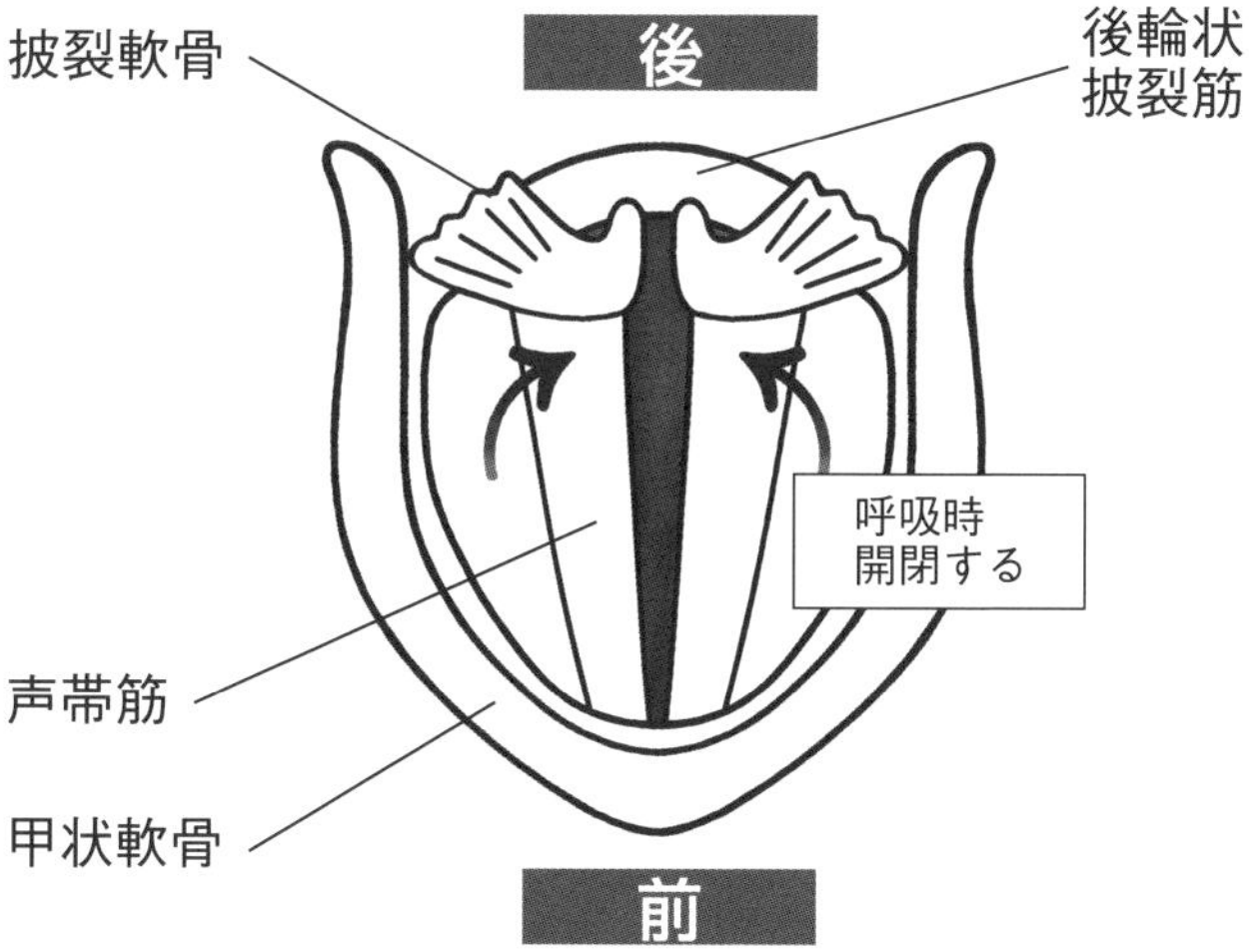

呼吸運動している間は、声帯が開いたままの状態ですが、息を止める動作は、左右の声帯同士が蓋をすることにより、「止息《しそく》」が起こります。力む動作や、息を止める動作、重いものを持ち上げて踏ん張っているときなどに声帯が力強く蓋をして働いている動作を「止息運動」といいます。

喉仏の上の部分を甲状軟骨、下の部分は輪状軟骨といい、全体で喉仏を構成しています。この甲状軟骨の中に、上から見ると弦が左右にVサインのようになった長さ約二㎝（女性は一・五㎝）くらいの膜のような物がついていますが、これが声帯です。前端は甲状軟骨の内面に、後端は披裂軟骨《ひれつなんこつ》に付着しています。

呼吸をする際は、声帯の入口（声門）は開いたままの状態で、声を出すときに閉鎖筋が働き声門が閉じます。呼気が通り抜けることによって声帯が振動し、音が出ます。声帯が厚く長ければ音が低くなり、薄く短ければ音が高くなります。音が出るのは物理現象なので、閉鎖筋が衰えると声帯がたるみ、閉じにくくなるため、呼吸が漏れだし、高い声や大きな声が出しにくくなり、「話し声が低くなる。声がかすれる」などの症状（声帯の老化）が起きたり、嚥下障がいや誤嚥性肺炎を引き起こしやすくなったりします。

はっきりとした声を出すためには、その声帯筋の弦の張り方や、声帯振動回数が関係してきます。固定の「ラ」の音を出すには声帯を一秒間に四四十回振動させて音を作り出しています。「ラ＃」で四六九回、「シ」で四九五回とそれぞれ振動回数は決まっています。正しい音を出すために、人は脳で感知し、耳や感覚、記憶で振動回数を近づけて音を合わせていますので、たくさんの訓練が必要になります。

人間の体の筋力低下はおおよそ二十歳以降から始まると言われていますが、人間の喉仏、甲状軟骨などの喉周りの筋力は、四十代以降から低下していきます。日本語を話すときは、英語などの外国語と比べると、喉や舌周辺の筋肉をあまり使いません。日本語は呼吸量、抑揚や強弱、または舌筋をあまり使わない話し方をするため、日常生活での喉周りの筋力の使用量が少なく、声帯の筋肉が衰えやすいので声量が小さくなりやすい傾向があります。

腕の筋力が両腕で違うように、声帯の筋力も左右に違いがありますので、そのバランスが大きく違う人は声をすぐ潰してしまいます。バランスが悪いままにしておくと、声帯の片側だけを酷使することになり、ポリープができやすくなってしまいます。

高齢になると、重いものが持てなくなる、踏ん張れなくなるということが起こるのは、身体の筋力が落ちただけではなく、声帯筋が衰え、声帯萎縮が始まり加齢と共に閉じなくなることで、「止息」の力が弱まるからなのです。

ボイストレーニングで「止息運動」を行うことで、声帯筋や閉鎖筋、※披裂筋《ひれつきん》を鍛えることは、発声を良くするだけではなく、生活する上で必要な筋肉を鍛えることに繋がっているのです。

※披裂筋《ひれつきん》とは

披裂筋は輪状軟骨後板上に乗る硝子軟骨であり、前方に声帯突起が、外方に筋突起が突出している。声帯突起には甲状披裂筋、声帯靭帯が付着し、筋突起には外側輪状披裂筋、後輪状披裂筋、披裂筋が付着する。底面には輪状披裂関節面があり、円筒状の関節面上で長軸の周囲の回転運動と長軸に沿うすべり運動により声帯の内転および外転運動を行っている。

引用　『喉頭の臨床解剖』

3. その他の部位の嚥下機能

⑴ 舌

舌は、喉頭挙上筋群《こうとうきょじょうきんぐん》や舌骨、喉仏とも繋がっています。舌には舌筋という筋肉があります。舌先、舌中、舌奥、これらを上手く使い母音、子音、滑舌を作り出しています。舌の筋力が低下すると滑舌が悪くなります。中でも舌根（舌の付け根）は脂肪が付きやすく、そのために気管が狭くなると呼吸がしにくくなり無呼吸症候群になります。こういった症状もトレーニング次第で改善できます。

⑵ 喉仏（喉頭）

喉仏は、食べ物などを飲み込むとき（嚥下）に必要な器官です。喉仏は、食べ物などの嚥下時、上方へ上がり、喉頭蓋（弁）が気管に蓋をし、食べ物などの侵入を防いでくれる役割があります。

ただし、喉仏の位置は加齢と共に下がっていきます。下方へ引っ張られるので、飲み込んだときに、喉頭蓋（弁）が上方へ上がりづらくなり、喉頭の動きも遅くなることによって、食べ物や液体が食道ではなく、気管に入ってしまい炎症が起こり、※誤嚥性肺炎などを発症してしまうのです。

誤嚥性肺炎を防ぐ役割をするのが、主に喉頭挙上筋群や胸骨甲状筋という筋肉で、顎の下の筋肉や喉仏の両脇に付いている筋肉のことです。喉仏を上下に動かし、喉頭挙上筋群と舌を共に動かすことにより、嚥下機能改善や誤嚥性肺炎の予防に繋がります。

※誤嚥性肺炎

物を飲み込む働きを嚥下機能といい、口から食道へ入るべきものが気管に入ってしまうことを誤嚥という。誤嚥性肺炎は、嚥下機能障がいのため唾液や食べ物、あるいは胃液などと一緒に細菌を気道に誤って吸引することにより発症する（参考　日本呼吸器学会）。

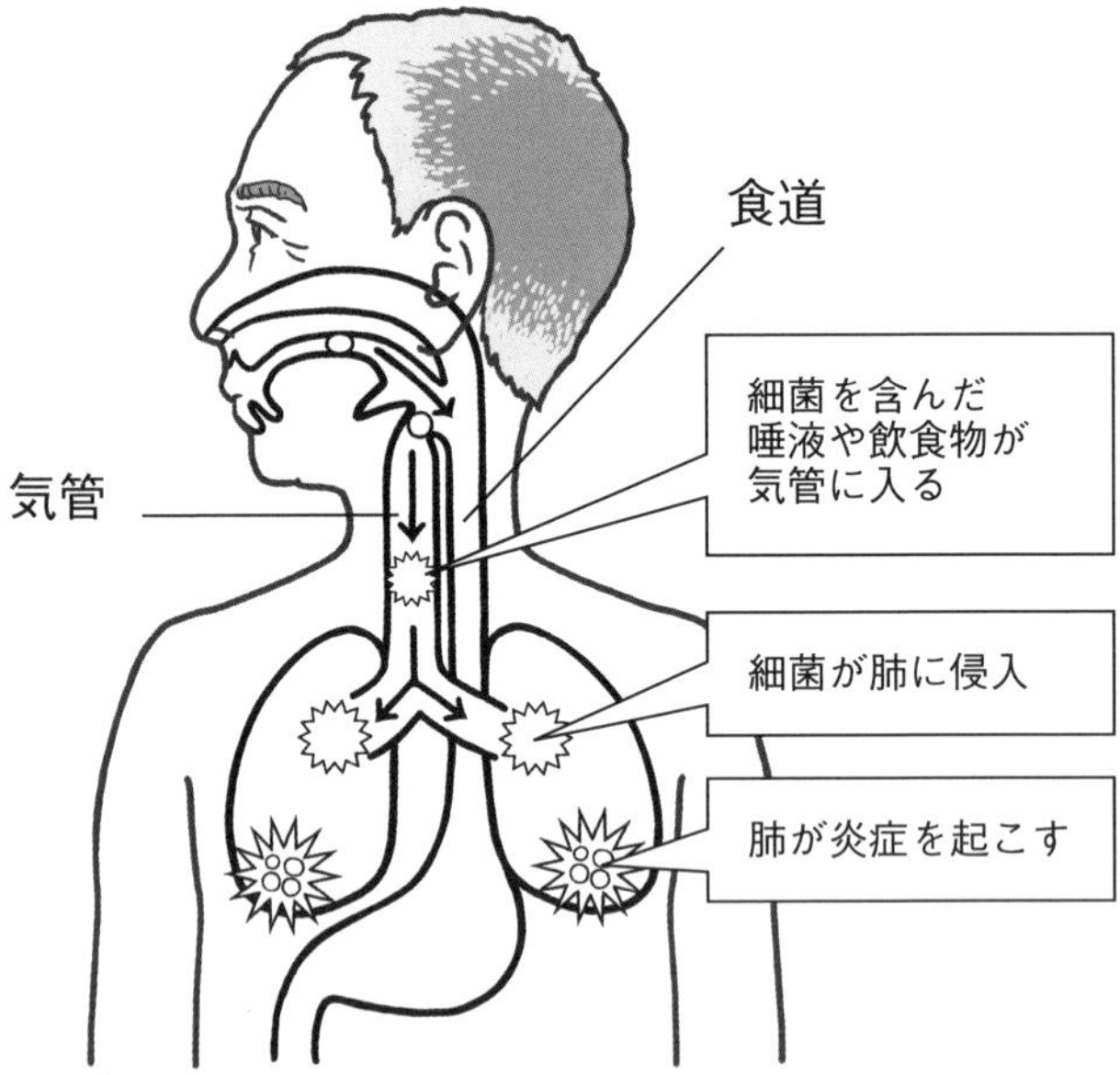

細菌を含んだ
唾液や飲食物が
気管に入る

【誤嚥性肺炎の動き】

細菌が肺に侵入
肺が炎症を起こす

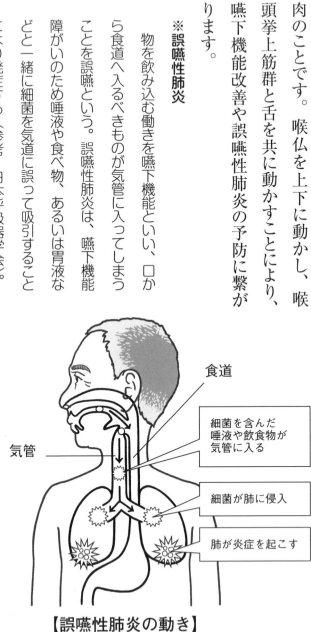

(3) その他

表情筋、顎、舌筋、軟口蓋、咽頭や甲状軟骨、輪状軟骨などは、発声はもちろん身体や滑舌、誤嚥や嚥下機能、声の表現力など人と人とのコミュニケーションをとるために必要な筋肉です。その筋肉を動かすことが、新陳代謝の促進、体温調整、心臓・胃腸・脳の活性化、認知症予防にも繋がります。

●嚥下機能・チェックポイント

近年、嚥下機能の低下や声の衰えは、加齢だけではなく、パソコンやスマホを利用してメールのみで会話を済ませる傾向や、コロナウイルスの影響からの外出自粛、外出先でも公共の場ではあまり会話をしないなど、環境的な要因で、高齢者だけではなく若い世代にも見られるのが現状です。

次に掲げるのは、嚥下機能低下や声帯筋の低下などの状態を知る簡単なチェックポイントです。三つ以上当てはまる方は、ボイストレーニングによる筋力アップが必要です。

嚥下機能と誤嚥予防の為のチェックポイント

□①声が出しにくい。億劫と感じることがある。
□②声がかすれて聞き返されることが多い。
□③十秒以上、「アー」と声を延ばし続けることができない。
□④大きな声が出しにくい。
□⑤以前は出ていた高音が出しにくくなった。
□⑥滑舌が以前よりも悪くなった。
□⑦足がふらつき踏ん張りが利かなくなった。
□⑧左右の肩の高さに違いがある。
□⑨息を十五秒以上止めていられない。
□⑩食事中むせやすくなった。

4. 胸式呼吸・腹式呼吸

胸式呼吸とは、呼吸の量が少なく、呼吸するときに肩が上がることにより気管が狭くなり、横隔膜の動きが小さい呼吸法です。肺の下にある横隔膜を上部に引き上げて、上に向かって空気を吸い上げれば吸い上げる程胸と肩が上に膨らみ、肋間筋が広がりお腹がへこんでいくことにより、吸い上がって行き場がなくなった空気が、声帯のところに詰まりむせてしまいます。

腹式呼吸とは、胸ではなくお腹（横隔膜）を使って呼吸する呼吸法です。息を吸って肺の下にある横隔膜を下に引き下げ、肺を下に広げる様にお腹を膨らませ、口から空気を吐くときにお腹をへこませます。下半身に力が入るので、自然と上半身の力みが取れます。

胸式呼吸も腹式呼吸も肺で空気を吸っていることには変わりませんが、肺の膨らませ方が違うのです。腹式呼吸は空気がお腹に溜まる訳ではありませんが、横隔膜が下がることにより胃や腸が下に下がるのでお腹周りが膨らむのです。

日常生活では胸式呼吸と腹式呼吸を使い分けていますので、どちらが良いということではありませんが、腹式呼吸の方が吐く空気の量も多く、腹筋と背筋の力や横隔膜の力、肋間筋、胸鎖乳突筋、斜角筋の力でたくさんの空気を圧縮することができますので、腹式呼吸を意識した方がよいでしょう。

体が横になっているときは、どなたでも自然に腹式呼吸になっていますので、腹式呼吸自体は難しいことではありません。

大人になるにつれて、呼吸量が少ない楽な胸式呼吸で生活するようになっていくために、呼吸する力が弱くなり、ほとんど胸式呼吸だけで日常生活をするようになります。そのためどんどん呼吸が薄くなっていきますので、身体の代謝が悪くなってしまうのです。

腹式呼吸を身につけるには、空気を吸うことではなく、どれくらい深く長く吐き出しているかを意識する必要があります。呼吸は、通常、呼気量を約半分ほど使い、残りは使えない空気（残気）として肺に残っています。つまり、吸った空気の半分ほどしか使っていないので、力を加え吐き出さなければ新しい空気は入ってこないのです。

また、腹式呼吸の土台ともいえる横隔膜や体幹は、ストレッチによって鍛えることができます。横隔膜を鍛えることで肺活量が増し、その結果、安定した発声がしやすくなり、必要な声量を保てるようになりますし、体幹を鍛えることで身体のバランスが良くなり、よりリラックスして腹式呼吸が行えるようになります。

腹式呼吸は、身体の新陳代謝を良くし、沢山の酸素を肺の中に取り入れられるので、血流が活性化する効果もあります。内臓機能の向上や体力・免疫力のアップ、老化防止にもなり、また自律神経の安定、ダイエット効果など数多くの健康・美容増進効果が期待できます。

しかし、歌唱の際、腹式呼吸で大事なことは、たくさんの空気を吐き出すことだけではなく、呼気をコントロールできるかどうかになります。お腹を圧縮してたくさん空気を吐くことや、細く長く吐くことなどのコントロールを適切に行い、歌唱をすることが大事です。

コラム

リズム感

リズムは音楽を楽しむためには欠かせない要素の一つです。歌を歌うためにも楽器を弾くためにも会話の中にもリズムは存在します。ですが、日本人は一般的にリズム感が弱いと言われています。一説には昔、日本人は農耕民族でしたので、畑仕事の二拍子、四拍子、間など、感覚的な阿吽の呼吸で間を取ることが主流で、三拍子や八拍子、十六拍子など細かいリズムを一定に刻み続けることが苦手な様です。

欧米人は騎馬民族。欧米人の言葉の中にはリズム・アクセントが多数存在します。リズム乗りが基本的に八拍子や十六拍子など細かいのが特徴で、反対に日本語は単音で一語一句になり、言葉の中に強弱やアクセントが乏しいためにリズム感が弱いと言われているのでしょう。

明治初期、ある日本人の音楽家が、日本人のリズム感を良くするために海外のリズムを取り入れようと外国の唱歌に日本語の歌詞を乗せる楽曲をたくさん広めました。例として『蛍の光』はスコットランド民謡の五音音階が用いられており、これは日本の雅楽や民謡などの一部にも見られる※ヨナ抜き音階と似ていたため、明治時代の音楽教育に積極的に取り入れられました。

その後、アイルランド民謡、アメリカ民謡などにも日本語の歌詞を載せました。この様なことからリズム感を良くするためには、海外のリズム音楽を聴きながら、四拍子よりも八拍子、または十六拍子というように、細かく手拍子で乗るリズム練習が効果的です。

※ヨナ抜き音階：音階数字を古風に「ひい、ふう、みぃ～」と数えて第四音「よ（ファ音）」と第七音「な（シ音）」を抜く音階のこと。

第３章　ヘルスボイストレーニングの課題

１．高齢社会としての課題

今後、少子高齢化、核家族化、高齢者の独居化が益々進行し、それに伴い日常的に交流の機会が減少することによって様々な社会課題が発生していくと思われます。具体的には、人口減少・少子高齢化によって商店街が衰退することによる買い物難民の発生、町内会・老人会等地域コミュニティの弱体化等が考えられます。現実に、町内会が解散する地域もでてきています。

日本では、令和二年度に年齢別人口で六十五歳以上が二十八・八％（男性二十五・七％、女性三十一・七％、総務省統計局発表）を超えました。四人に一人以上が六十五歳以上ということになります。

【人口減少の悪循環のイメージ】

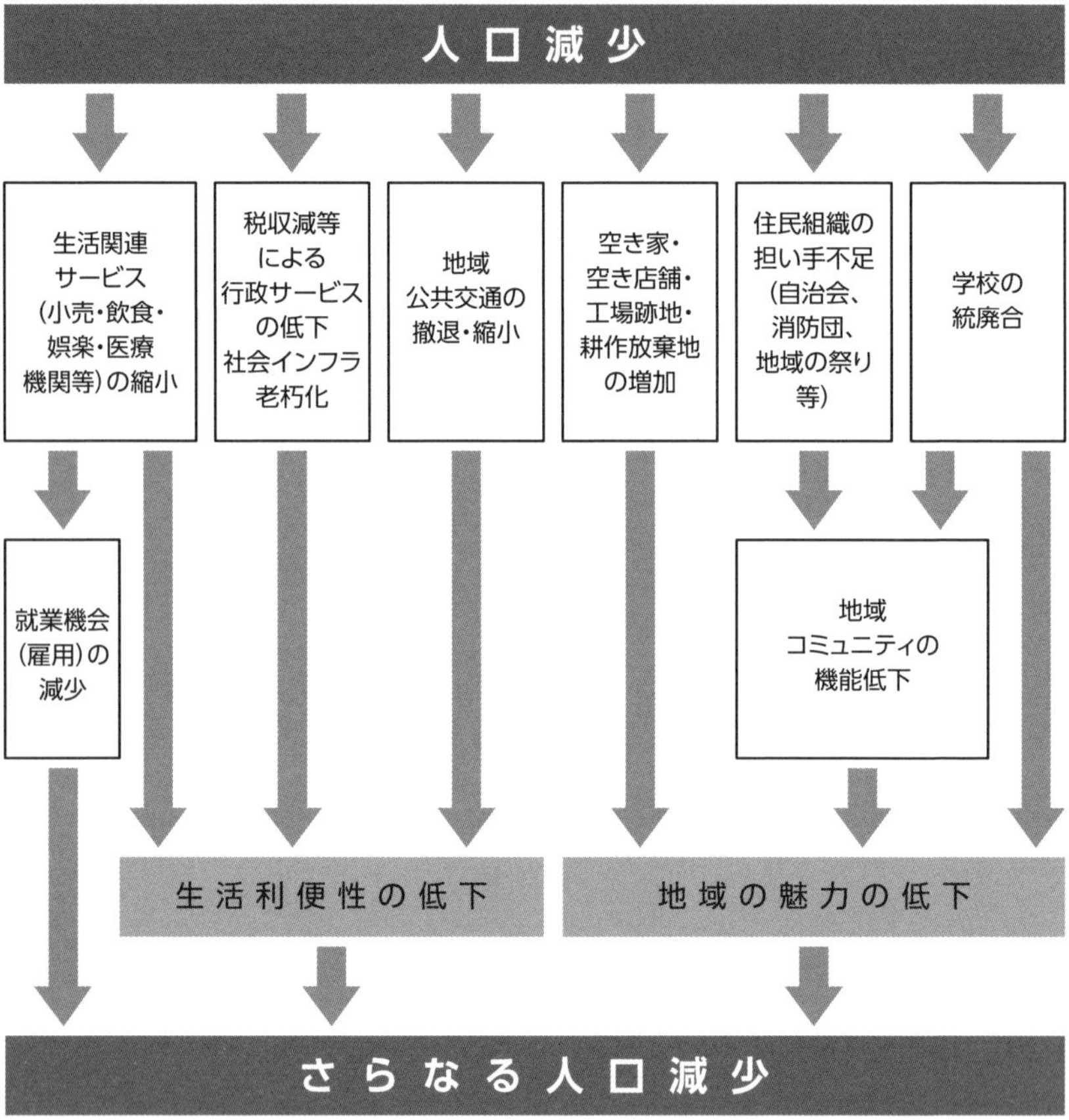

出典：国土交通省ホームページ

【地域が現在直面している政策課題で、特に優先度が高いと考えられるもの（複数回答可）】

※全国市町村の半数（無作為抽出）及び政令市・中核市・特別区の計986団体に送付。回答率60.5%

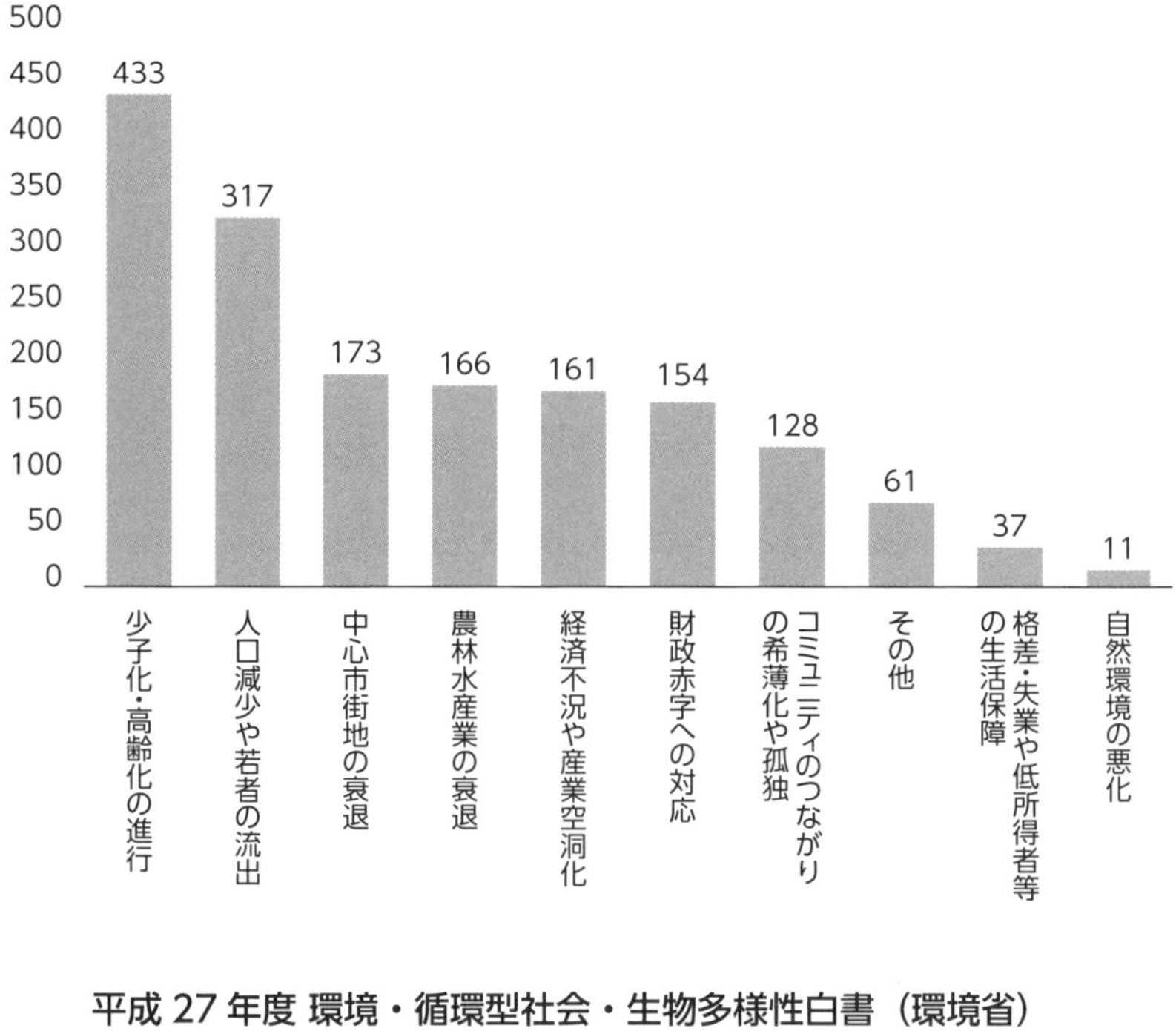

平成27年度 環境・循環型社会・生物多様性白書（環境省）を加工して作成

【地域が抱える課題（自治体）】

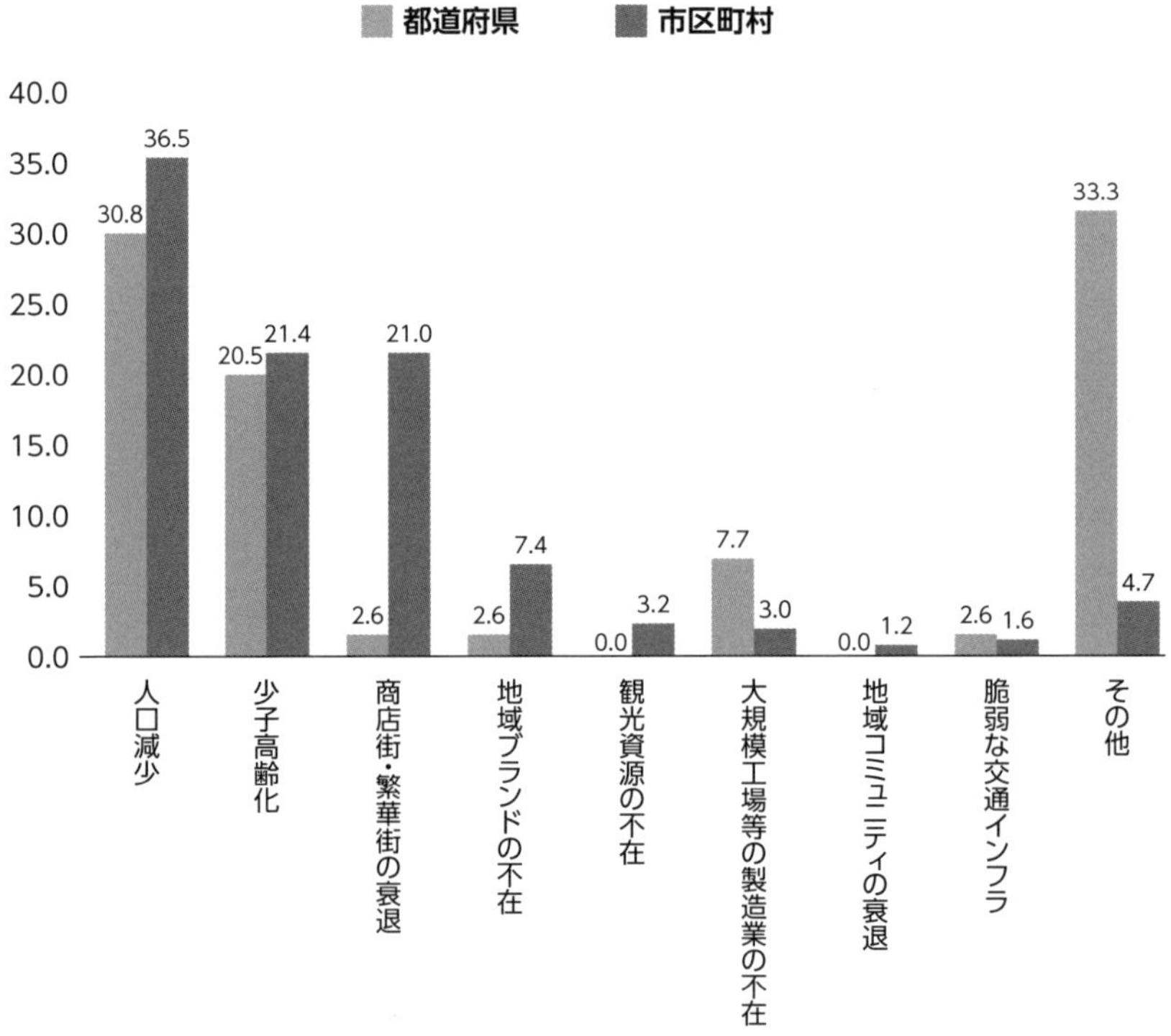

出典：中小企業庁 HP

【肺炎患者数の年齢構成（平成29年）】

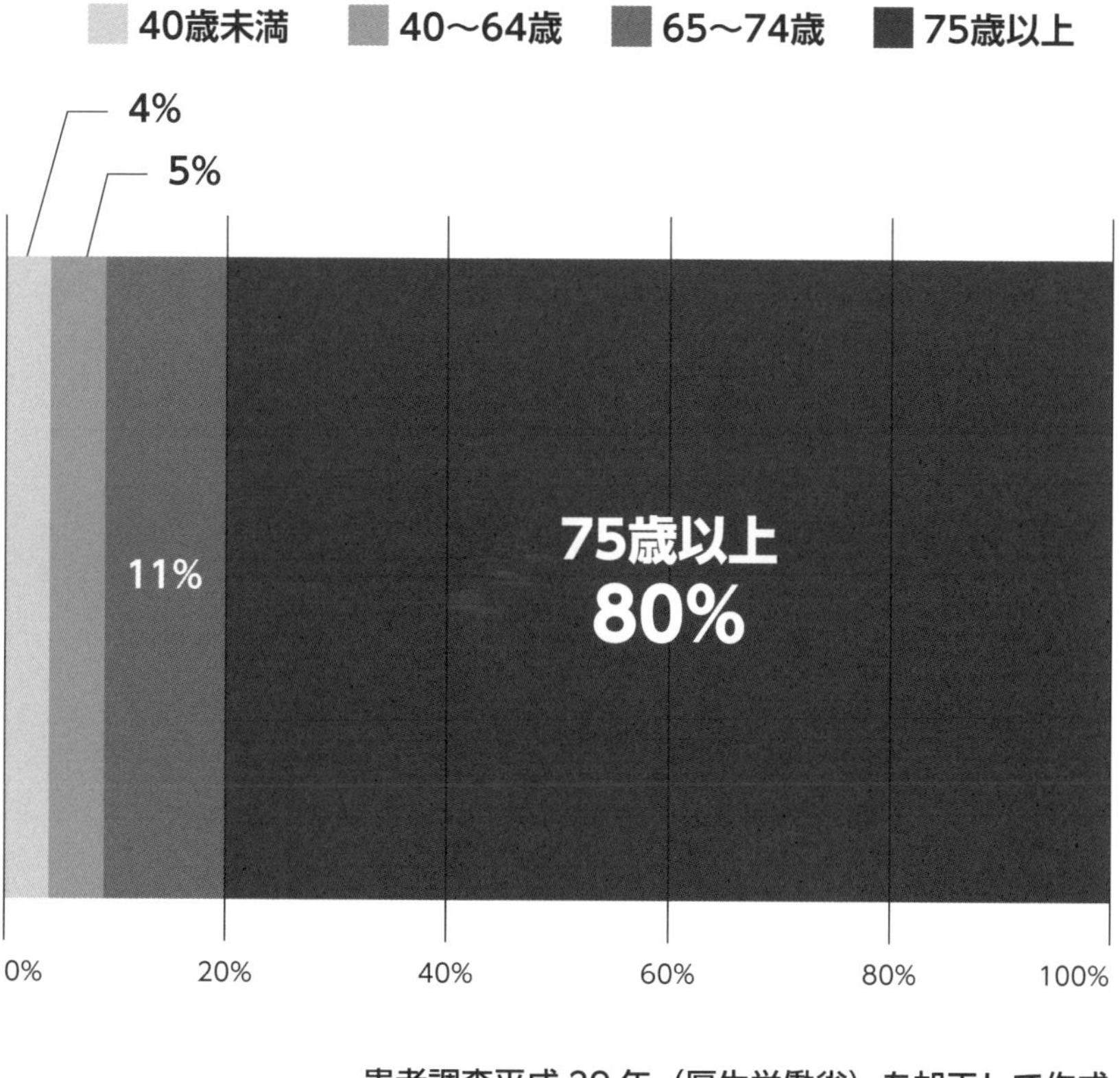

患者調査平成 29 年（厚生労働省）を加工して作成

【主な死因別死亡数割合（平成30年度）】

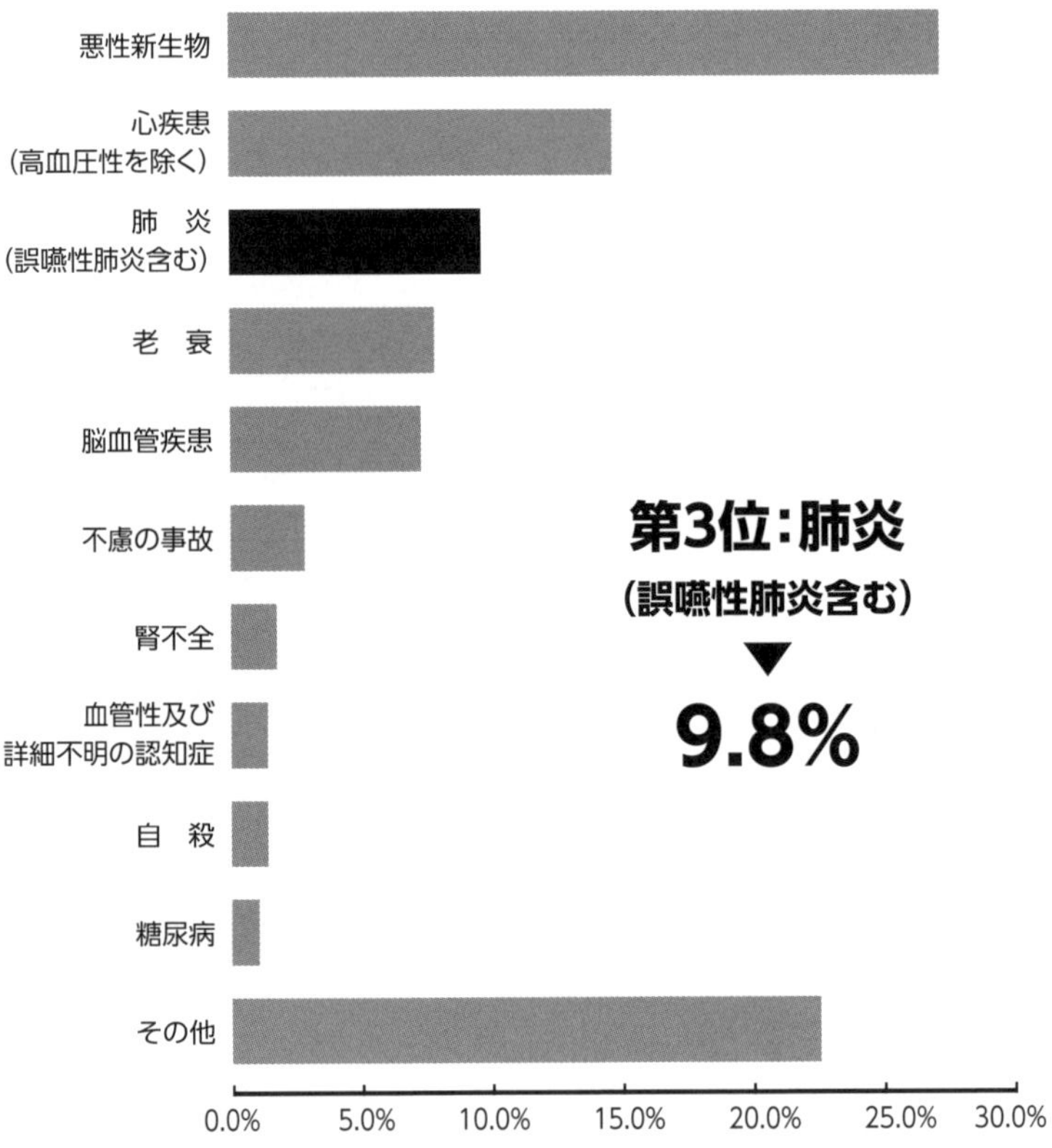

平成 30 年（2018）人口動態統計月報年計（概数）の概況（厚生労働省）を加工して作成

高齢化の加速に伴って、身体機能の低下、近所付き合いの減少（コミュニケーションの希薄化）、病気などによる高齢者のクオリティ・オブ・ライフ（ＱＯＬ）の低下などが起こります。既に実感されている方も多くいらっしゃるのではないでしょうか。

その様な中、高齢者にとって一番怖いのは肺炎です。しかも、高齢者の肺炎患者のうち、七割以上が誤嚥性肺炎と言われています。

私が行っているヘルスボイストレーニングを生活に取り入れることで、少しでも誤嚥性肺炎の予防や嚥下機能の低下をおさえることができます。

健康な体をつくり、趣味や生きがいを通して、楽しい人生を過ごすことができるでしょう。

【入院肺炎症例における誤嚥性肺炎の割合（平成28年）】

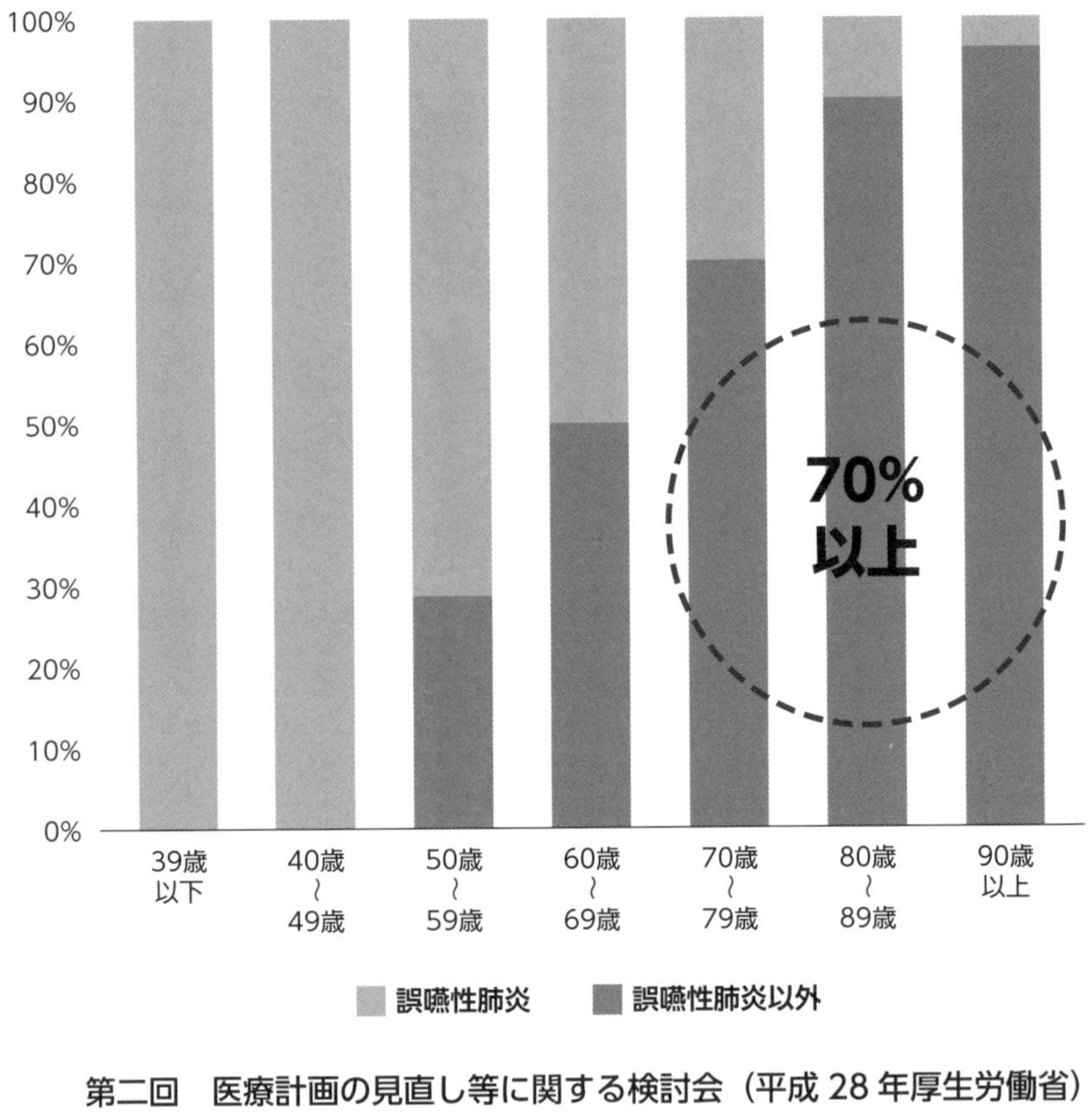

第二回　医療計画の見直し等に関する検討会（平成 28 年厚生労働省）を加工して作成

2. 日本語としての課題

日本語の大きな特徴は、母音が五つ（ア、イ、ウ、エ、オ）、子音が十四（諸説あり）と少ないことです。これは英語などの外国語と比べると格段に少ない数です。欧米の言語はもともと抑揚があり、キーも高いのに比べ、日本語は呼気量が少なくても話せる言語であることも筋力低下に繋がっています。日頃から声を張ることがなく、声帯や舌をあまり使わない日本人は、意識的に発声に関わる筋力を働かせる必要があります。

また、日本語には同音異義語（同じ音を持つ別の語、例えば「松」と「待つ」等）がたくさんあり、正しく発音しただけでは、相手に真意が伝わらない場合がありま す。言葉が正確に伝わらなければコミュニケーションは図れません。

そのうえ、基本的に日本語はアクセントが少なく平坦に聞こえます。リズムが弱く、話すときにそれを補おうとすると余計なところに力が入り、喉に負担をかけてしまいます。

日本語の発音の特徴は、母音と母音の間を区切って発音することです。そのため、自然な息の流れが声帯を震わせ、楽に魅力的な声を出すような話し方が難しいのです。口蓋を開いて腹式呼吸をするということを十分に意識し、喉の奥をよく鍛えることが大事です。

昔から日本人は寡黙で、自己主張せず、肯定か否定に分かれて討議するということを避ける傾向にありました。そのため、メリハリのある声を求める必要もなく、音声やその効果的な使い方に対して意識を払ってこなかったのではないでしょうか。

そして、話をするときもあまり口元を動かすことなく話せてしまうので、話のリズムが平面的で流れがなく、響きが少ないのが日本語の音声の特徴になってしまっているのです。

しかし、これからの時代は、相手に自分の伝えたいことを正確に理解してもらうために、しっかり自己主張し、意識を変えて、リズミカルでメリハリのある明瞭な発音ができなければなりません。

３．ビジネスマンこそボイストレーニングを

前述しましたが、今日、ボイストレーニングを受けるのは、アーティストだけという時代ではなくなりました。私のボイストレーニングを受けに来られる方々は、十代から八十代までと幅広く、嚥下機能改善や趣味のためなどと目的は様々ですが、男女比率は半々です。三十代から六十代の男性の中で、仕事のためにボイストレーニングを受ける方もいらっしゃいます。

日本のビジネスシーンにおいては、これまであまり重要視されてきていませんでしたが、人前で話す機会の多いビジネスマン、経営者、セミナー講師、または教員の皆さんが発声の重要性を認識することが私は大事だと思います。

私自身、お客様とお話をする際には、姿勢や目線はもちろんのこと、良い「発声」を心掛けています。

また、ビジネスシーンでは、人前で話す機会が多くあると思いますが、講義、交渉、商談などで相手に自分の思いを正確に伝えなければならないとき、「声」がと

ても重要になります。

大事な発言の機会に、ぼそぼそと聞き取りづらい声や、相手に届かない小さな声で話をしていたら、どのように伝わるでしょうか。他人に良い印象を与える、思いを正確に伝える上で「声」は非常に重要な役割を果たしているのです。欧米では昔からビジネスマンの間でポピュラーだった「声を磨く」トレーニングが、日本でも注目を集め始めています。

他人とコミュニケーションを図る上で、「声の質」や「よく響き、通る声」は意思の疎通をスムーズに図るスキルであり、同じ内容を話していても、より説得力をもちます。

いくら身だしなみや振る舞いが良くても、相手に与える印象には限界があるのに対し、「声」はトレーニング次第で驚くほど改善できます。声の「強弱」、「高低」、「抑揚」を意識するだけで、相手に親近感や熱意を伝え、しかもそれは比較的簡単なトレーニングで身につくのです。

ビジネスマンこそ「声」を磨くことにもっと注目してみてはいかがでしょうか。

コラム

「声」について

旧字は「聲」で、意味を表わす「耳」と音を表わす「殸」でできている。

【「声」を使った四字熟語】声＝評判を表わしているのか、評判に関するものが多い。

鴉雀無声《あじゃくむせい》　ひっそりとして声一つ無いこと。

異口同声《いくどうせい》　意見が一致すること。多くの人が同じ事をいうこと。

鶴唳風声《かくれいふうせい》　風の音や鶴の声にも恐怖を感じること。転じて、ちょっとしたことにも驚くこと。

金声玉振《きんせいぎょくしん》　才知や人徳が調和して備わっていること。

撃柝一声《げきたくいっせい》　拍子木を打つこと。または合図をすること。

声聞過情《せいぶんかじょう》　実際の能力より評判が高いこと。

声名狼藉《せいめいろうぜき》　評判を落とし、回復しないこと。

先声後実《せんせいこうじつ》　強いという評判で怯えさせ、その後武力で攻撃すること。

曾参歌声《そうしんのかせい》　貧しい生活のなかでも、欲にとらわれずに高潔に生きること。

大声疾呼《たいせいしっこ》　大声であわただしく呼ぶこと。

大喝一声《たいかついっせい》　大きなひと声で叱ること。

同声異俗《どうせいいぞく》　人間は生まれながらの性質は同じだが、その後の環境・教育で差がつくこと。

呑声忍気《どんせいにんき》　怒りや悔しさを声に出さず、押さえ込むこと。

吠影吠声《はいえいはいせい》　誰か一人が言い出すと、他の人も本当のことのように言いふらすこと。

浮声切響《ふせいせっきょう》　軽い声と重い声。声や響き、リズムの軽重や高低のこと。

霹靂一声《へきれきいっせい》　突然雷がとどろくこと。転じて、突然大声で怒鳴ること。

鞭声粛々《べんせいしゅくしゅく》　相手に気付かれないように、静かに馬に鞭打つこと。

芳声嘉誉《ほうせいかよ》　植物が芽を出すこと。転じて、物事の兆しが見えてくること。

蜂目豺声《ほうもくさいせい》　凶悪で冷酷なこと。

無声之詩《むせいのし》　韻が無い詩のこと。

名声赫赫《めいせいかくかく》　世間で評判が上がっていくこと。

名声過実《めいせいかじつ》　実体に比べて評判が良すぎること。

名声藉甚《めいせいせきじん》　素晴らしい評判のこと。

励声一番《れいせいいちばん》　大事な場面で声を張り上げること。

【「声」を使ったことわざ】

あの声で蜥蜴《とかげ》食らうか時鳥《ほととぎす》――人は見かけによらないたとえ。

痩せ馬の声嚇《おど》し――実力がないのに、口先だけは威勢がいいこと。

相手見てからの喧嘩声――相手が自分より弱そうだとわかるといばりだすこと。

空き家で声嗄《か》らす――努力しても報われないこと。

君子は交わり絶ゆとも悪声を出さず――徳のある人は、人と絶交してもその人の悪口は言わない。

雀の千声《せんこえ》鶴の一声《ひとこえ》――つまらない者がいろいろ言うより、優れた者の一声が勝ること。

大声は里耳に入らず――高尚な理論は俗人には理解されないこと。

問い声よければいらえ声よい――こちらの出方次第で相手の態度が変わること。

第 2 部

実践編

第４章　歌のためのボイストレーニング

1. ボイストレーニングに必要な基本技術力

歌唱力を良くする上で必要な技術力のチェックポイント

①音感（メロディー）が良くとれているか。
②曲のリズムに乗れているか。
③声の強弱を付けているか。
④声質を何パターンも変えているか（地声、息声、裏声など）。
⑤音域を広く出せるか（高音から低音まで）。
⑥テクニックを歌の中に取りいれているか（ビブラート、レガート、フェイクなど）。
⑦共鳴（響き）をうまく使って表現力を変化させているか。

これらを総合的に使う事により歌唱力アップに繋げられるのです。

⑴基本的な姿勢

まずは、顔と目線を真っ直ぐに、前方か少し上を見て立ちます。目線が下がると顔や顎が下がり、呼気を吐く場所も下がることで喉が詰まってしまい、口も縦に開きにくくなり、声の響きも下がりピッチも暗くなります。

次に、上半身の力と肩の力を抜きリラックスするようにします。鼻から空気を吸ったときに肩が上にあがっていなければ大丈夫です。肩を上げると首に力が入り、喉頭の動きを固めてしまうので良くありません。両足を軽く開いて重心を中央にします。そして、下腹に力を入れ丹田《たんでん》（おへその下）を意識しながら、お腹を膨らませる様に吸気し、そのお腹を腹筋・背筋の力で圧縮する様に呼気をします。その際地声で胸から前に出るようなイメージで母音「アー」と声を出します。口から出る空気の向きは、声の通り道になり、目線の方向に声は流れて行きますので、空気を吐く方向に意識を向け、高い音は上方に、低い音は下方に、中音は身体から真っ直ぐ前に向かって発声をします。

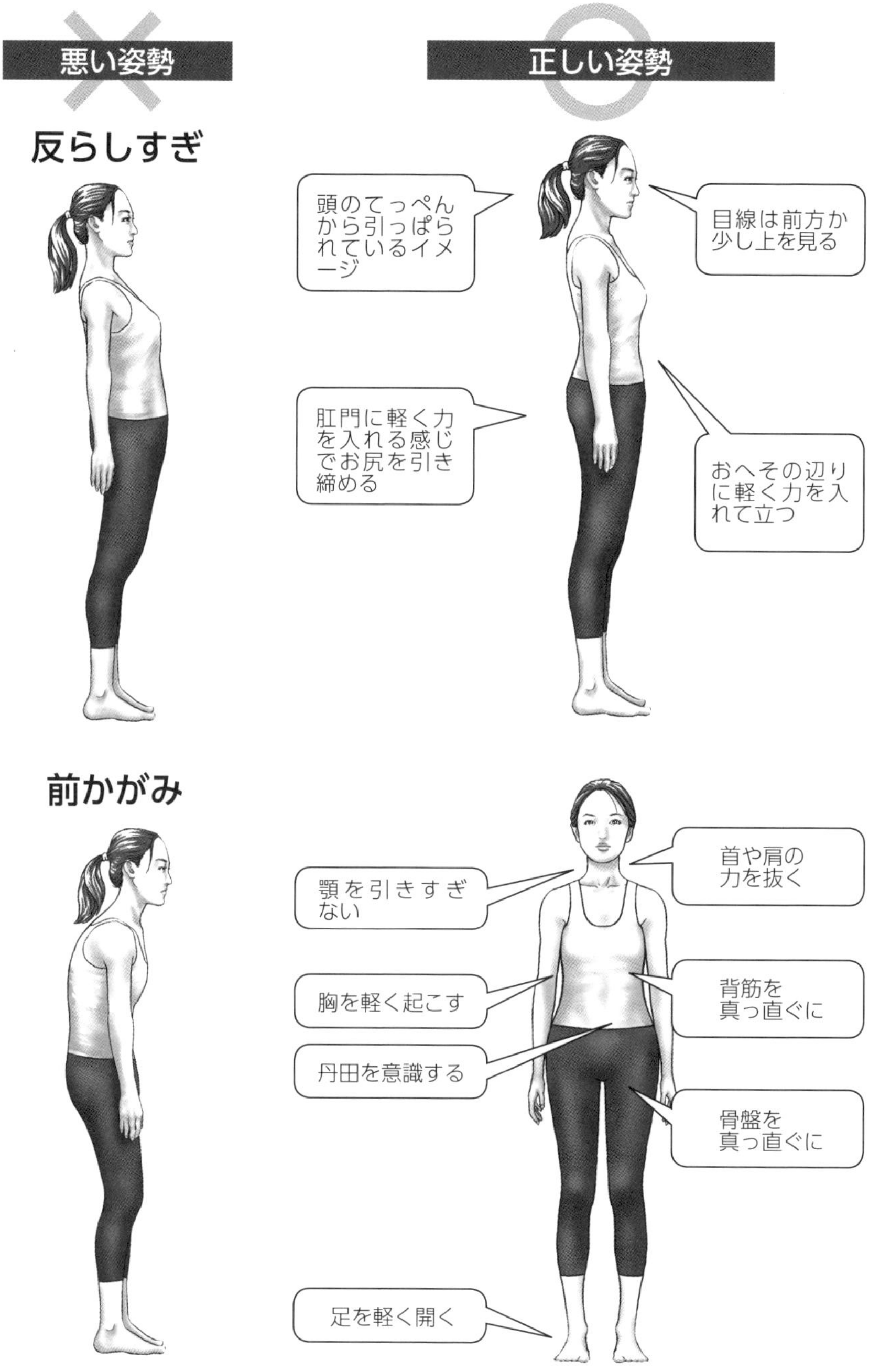
悪い姿勢
正しい姿勢
反らしすぎ
頭のてっぺんから引っぱられているイメージ
目線は前方か少し上を見る
肛門に軽く力を入れる感じでお尻を引き締める
おへその辺りに軽く力を入れて立つ
前かがみ
首や肩の力を抜く
顎を引きすぎない
胸を軽く起こす
背筋を真っ直ぐに
丹田を意識する
骨盤を真っ直ぐに
足を軽く開く

(2) 音感（イヤートレーニング）

音感はとても大事です。音は声に出すことで初めて覚えることができます。音感を養うためには耳のトレーニング（イヤートレーニング）が必要です。歌をうたうためには音階が正しく身についていなければならないのです。私のボイストレーニンでは音感を養うためにピアノを使い、音の上がり下がりのメロディーを声に出して耳と体で覚える練習が基本です。この音感練習は、一人ではなかなか正しい音を取る事は難しいので、ボイストレーナーが必要になります。

「私は音痴です」と言う方がいますが、音痴は三つの種類に分かれます。

まず一つ目は、音を脳で記憶していない場合です。「全音は記憶しているが、半音の記憶がない」とか「レ」の音は覚えているが、「ファ」の音の記憶が曖昧といったことです。

二つ目は、頭では音が分かっているのに、声に出してみると違う音が出てしまう場合です。これは口の開け方、動かし方や、音の出し方が悪いせいでメロディが崩れている状態です。

三つ目は、難聴の方や脳に障がいのある場合です。この場合は障がいの度合いの違いで、発声トレーニングにより改善されることもあります。

脳の記憶だけでは足りなく、歌の場合の音感練習は※ソルフェージュのように、一つ一つの正しい口の開け方や正確な音を発声し、脳に記憶させていく作業が必要です。

※ソルフェージュとは　西洋音楽の学習において楽譜を読むことを中心とした基礎訓練のこと。

2. 歌唱発声法

どんなに腹式呼吸でたくさん息を吐き出しても、

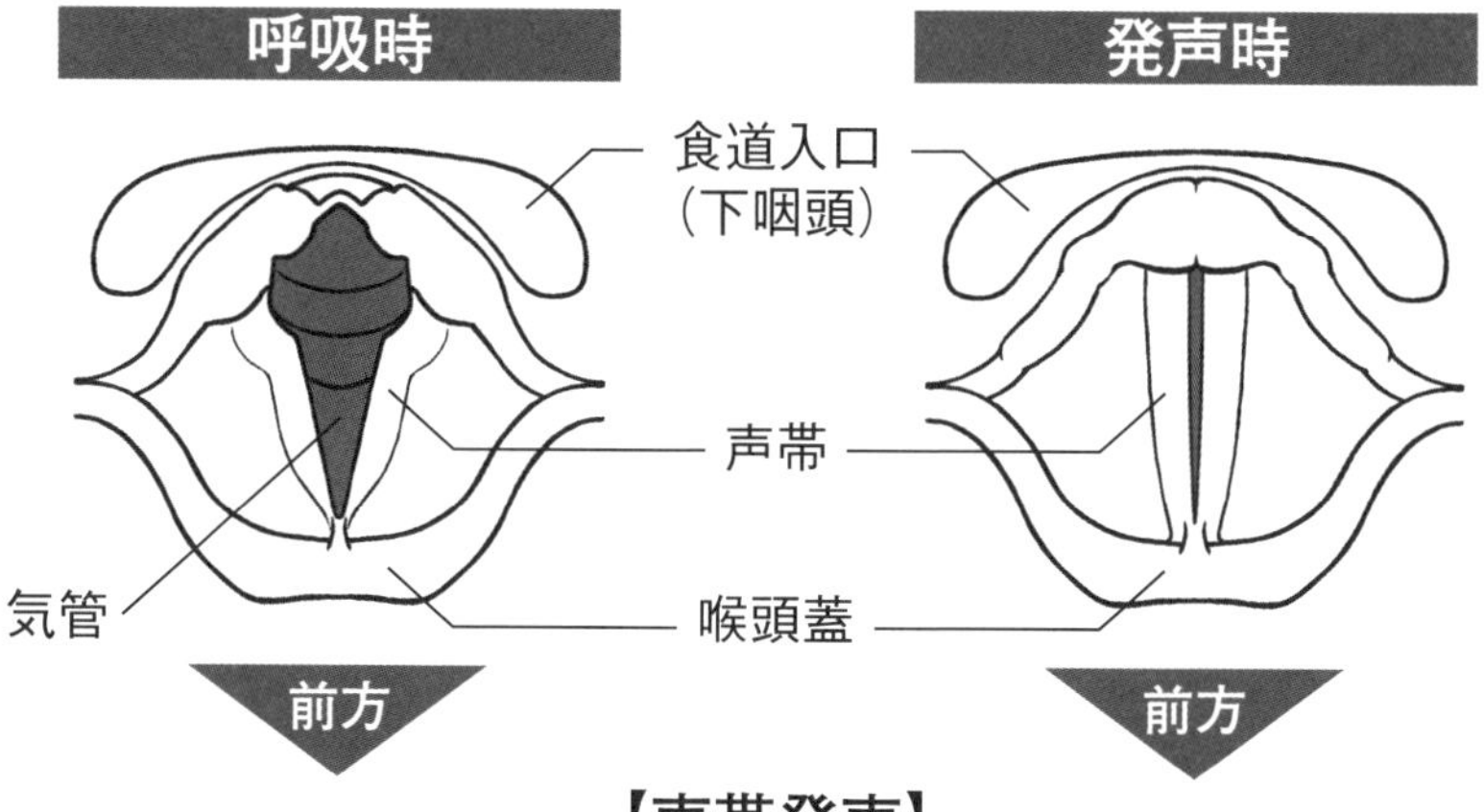

【声帯発声】

それはただの息でしかありません。しっかりとした響きのある地声を出すには、息を声に変える声門閉鎖筋の働きが重要です。主に甲状軟骨内の筋肉組織で動かしているのが声帯で、呼気の力により声帯と空気がぶつかり合い声帯原音が生まれます。物理的な振動をさせることによって、息が声に変わるのです。

さらに、声帯をただ振動させるだけではなく、どのくらい声帯を閉じるか、声帯のどこの場所を強く閉じるかで、音の高低差や、響きのある振動を作り出します。ボーカリストはそれらを使いこなす方法を身につけ、テクニックを駆使して歌唱に活かしています。多くのテクニックを磨くことで、美しい響きのある声などを手に入れることができます。

また、発声の基本は「喉を開くこと」です。

まず、喉を開くためには、喉がどのように開いていないのかを意識して見る必要があります。喉が開いていない状態とは、口の中の筋力低下や舌の筋力低下により口腔内が狭まり、舌が丸く盛り上がってしまう状態のことです。

発声をする際に、肩に力が入ってしまう方がいますが、それは甲状軟骨内の声帯閉鎖筋の筋肉が弱く、閉じづらいことが原因です。そのことにより、首や肩、顎などの外側の筋肉（アウターマッスル）などに余計な力が入り動きを固めてしまい、喉（気管）を詰まらせる発声になってしまいます。気管が狭くなるため、響きが弱く、こもった奥行きのない声になるのです。

　喉を詰まらせる様な発声で一番良くないことは、「喉仏が上がるのと同時に舌根までも一緒に上がってしまう」ことです。舌根まで一緒に上がってしまうと口腔内が狭くなり、喉が詰まった様に発声してしまいます。

　唇が上下に開いていない場合は、軟口蓋《なんこうがい》や口蓋垂《こうがいすい》を引き上げて、上がっている舌根を引き下げます。これはあくびをしている状態をイメージするとわか

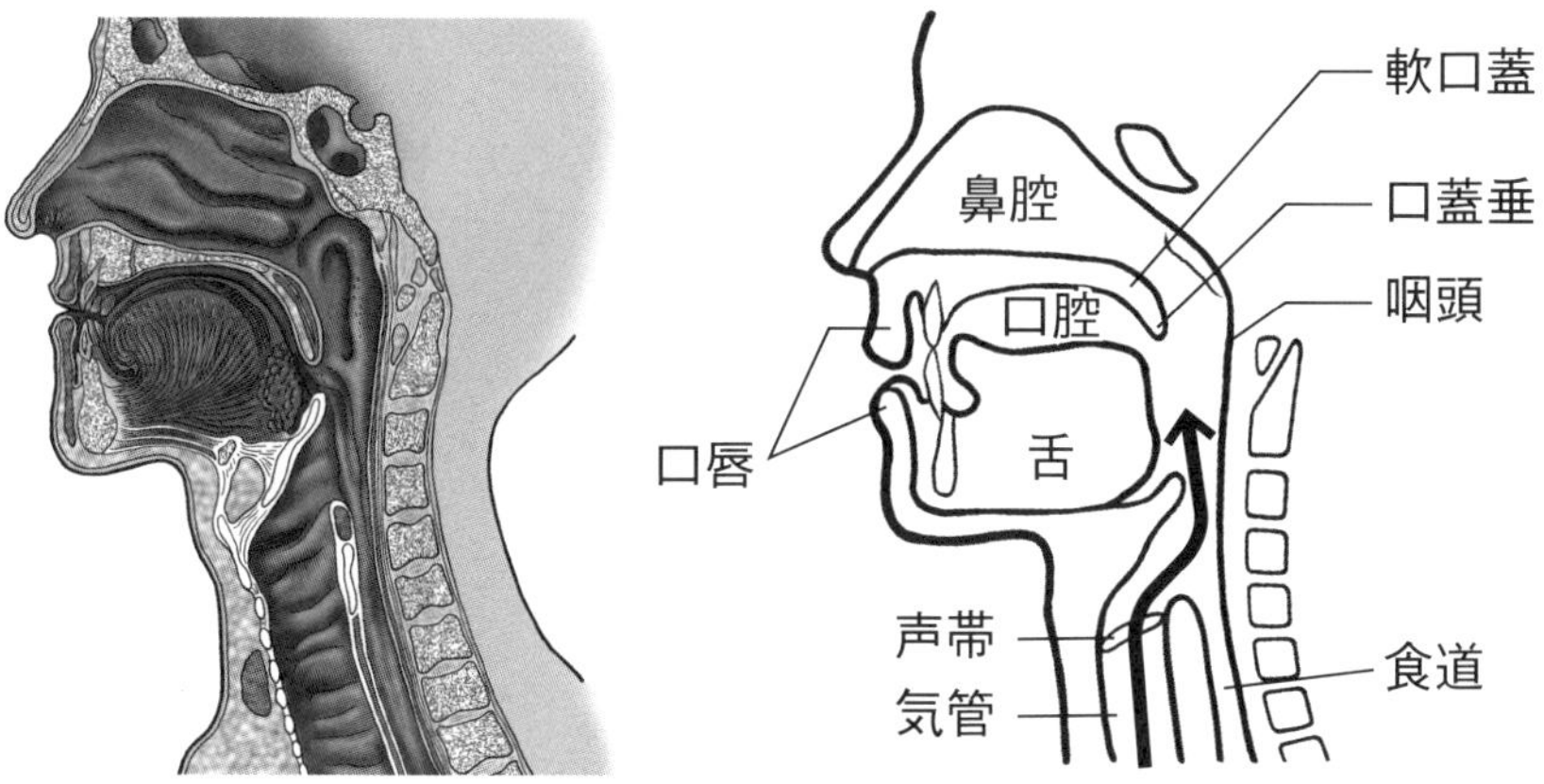

【呼吸と発声の流れ】

りやすいかもしれません。また、左右にも口腔内が開かないケースは、歯を食いしばったような状態になって、声に雑音が混ざったり、母音が濁って聞こえたりします。口を開けることにより声帯の伸展筋を働かせることが可能になります。

さらに、目を見開く、鼻の穴を開く、口角を上げるという動作を行うと、口が上下に開く手助けをしてくれますし、硬口蓋、軟口蓋、口蓋垂、上咽頭が引き上げられますので、口腔内の筋力に力が入り、舌根を下げることができる方は正しい高い声が出せるようになります（トレーニング方法は第六章にて）。

次に、喉の奥を開き、響きのある高い声を出す方法は、喉仏を喉頭挙上筋群や胸骨甲状筋の力により上下運動させることです。それによって響きのある音域の広い声が発声できます。高い声は喉仏が上昇しないと出にくくなるのです。また、高い声を出す際、「口が縦に開かない」、「舌が盛り上がってしまったりする」と言う方は、そのような発声を続けていると声帯がきれいな形を作れずに、声帯に負担がかかり声帯結節やポリープの原因に繋がりますので、注意が必要です。

そして、発声の際に大切なのは「発音」です。日本人の声が欧米人に比べて響きにくいと言われる原因は、発音にあります。前述しましたが、日本語は欧米語と比べて少ない母音を、舌や口の形を少し変えるだけで発音ができてしまいます。そのため、口の中で音を共鳴させたりイントネーションを変化させたりしないで発音してしまっているのです。

発音の基本は五つです。「呼気量を増やす」、「口唇をしっかり動かす」、「舌を良く動かす」、「表情筋を良く動かす」、「声帯原音を大きく鳴らす」ことです。それらを複合的に合わせて共鳴、イントネーションを作り母音をしっかり発音し、子音を乗せることで、発音は見違えるように変わり、歌唱に活かすことができるのです。

●歌唱の声・チェックポイント

声は沢山の筋肉に支えられ発せられています。それぞれの筋力が低下すれば、必然的に声も衰えますが、それは声帯筋（内喉頭筋）や口腔内筋や舌の筋力低下が主な原因です。

次に掲げるのは、歌唱時の声の低下力を知る簡単なチェックポイントです。三つ以上当てはまる方は、ボイストレーニングによる筋力アップが必要です。

歌唱のための声のチェックポイント

□①母音が出しにくい。
□②声がガラガラしている。声がかすれる。
□③十五秒以上、「アー」と声を延ばし続けることができない。
□④大きな声が出しにくい。
□⑤高音が出ない。
□⑥滑舌が悪い。
□⑦喉がすぐ痛くなる。
□⑧左右の肩の高さ、骨盤の高さに違いがある。
□⑨裏声が出せない。
□⑩喉仏を上下に動かすことができない。

3. 声の名称（四種類）

声は大きく四つに分けられます。チェストボイス、ミックスボイス、ウィスパーボイス、ヘッドボイスです。

声帯の蓋をする力を加えて出す声

①チェストボイス「※地声」

チェストとは「胸」のことで、チェストボイスとは胸に響く声という意味で、地声のことです。共鳴を胸に当てる発声で、声帯原音が大きく強くはっきりと出せます。

※地声とは、声帯伸展はあまり起こらず、内甲状披裂筋（声帯内とその周辺の筋群）、閉鎖筋により隙間なく閉じられた声帯の襞全体に呼気を当て、物理的な音を大きく奏でることができる発声方法によって出される声のことです。

②ミックスボイス「地声＋裏声」

裏声の出し方の一つですが、地声と裏声を混ぜた声という意味です。裏声の音域を発声するのに伸展筋を使い声帯を前後に引っ張り、披裂筋を使い地声のように声帯のすき間を近づけて、声帯原音を強く響かせる発声です。

声帯の蓋をする力を緩めて出す声

③ウィスパーボイス「息声」

囁き声や息もれのような声のことです。歌の中では、語ったり、息交じりの表現や子音を多く使ったりするときの声です。朗読、ナレーション、たっぷりと感情を込めるときにも使われます。

④ヘッドボイス「※裏声」

息もれの様な、柔らかく温かみのある頭声のことです。主にクラシック唱法や声楽のソプラノ歌手が音楽大学などで学ぶ声です。声帯の隙間を開け、呼気を声帯側面をかする様に振動させ音を作ります。頭のてっぺんから声を出し、頭蓋骨に共鳴腔をもっていく発声法です。

※裏声とは、輪状甲状筋と共に声帯伸展筋（喉頭懸垂系）を使い、呼気が漏れるように発声する方法です。声帯は引き伸ばされ薄くなり、声門に僅かな間隔ができ、それにより声帯の側面への接触が減ります。地声のようなアタックが起きにくく、柔らかく丸く聞こえる発声方法です。

【声の変化の種類】

呼吸時

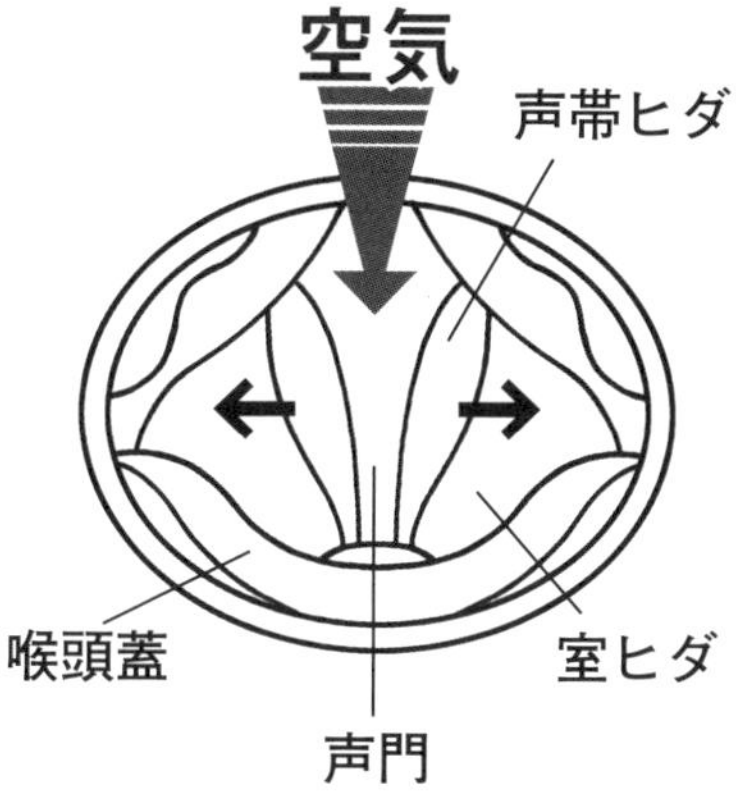

声帯は、左右の壁から張り出した2枚の筋肉のヒダでできています。呼吸をするときは、声帯は開き、空気を通します。

発声時

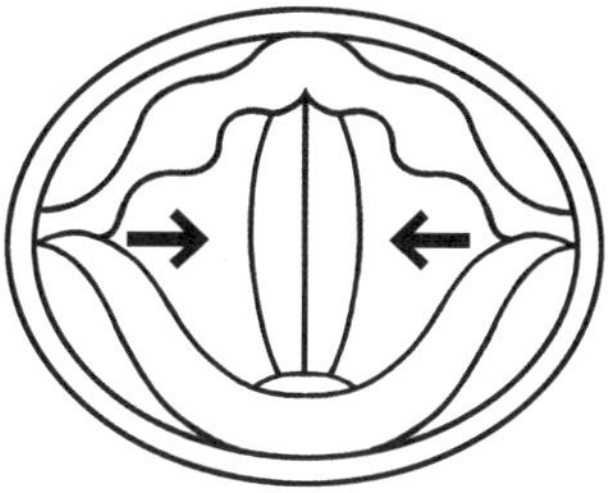

地声の声帯形

発声するときは、声帯は閉じ、空気が声帯にぶつかり振動することによって音が生まれます。

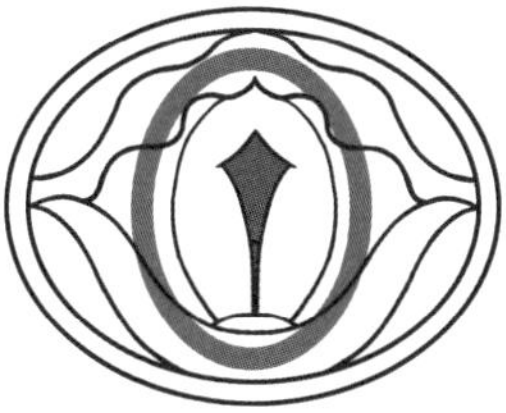

息声や裏声の声帯形

声帯閉鎖が広いので息漏れが多くやさしい声になる。息声や、ファルセットと呼ばれています。

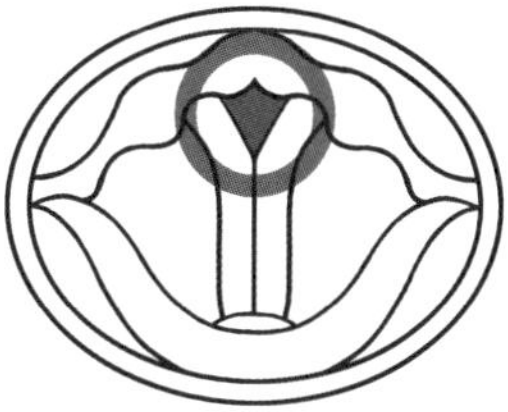

ミックスボイスの声帯形

声帯閉鎖が狭いので息漏れが少なく尖った声になる。笛を吹いているような感覚です。

4. 歌唱の発声方法や表現

歌唱方法や表現の仕方はたくさんありますが、主に代表的なものを紹介しますので参考にしてください。

(1)スタッカート

スタッカート（アクセント）とは、音を短く切ってアクセントをつける発声法です。音や空気圧、口や言葉を使いリズミカルにしたり、強弱をつけたりするときに使います。スタッカートは二種類あり、一つは肺の下にある横隔膜を動かし、呼気の圧力を変化させることによりかけるスタッカートと、もう一つは声帯を閉じ、母音を発声すると同時に弾く様に出すスタッカートです。歌唱内では表現力として両方使います。

(2)レガート

音と音を流れる様に繋げて発声する方法です。ピアノで言えば、ペダルを踏みながら音を奏でるときれいにメロディが流れるのと同じように、音階と音階の間に繋がりを作りながら発声する方法です。

(3) ビブラート

ビブラートは、歌のひとフレーズの間に付けるテクニックです。半音以下幅（ピッチ）の音を上下させ、メロディに変化を与えることです。基本的なビブラートは音を上下させてかけますが、その他、音をあまり変えず、呼気量を変化させ、空気の力で揺れを出す方法もあります。音の揺れ幅を上げるビブラートはメロディがメジャーな響きになり、揺れ幅を下げるビブラートはマイナーな響きになるというように、テクニック一つで全く異なる効果を得られる表現方法です。

(4) 共鳴

共鳴は、言い方を変えると「響き」のことです。響きは、口腔内でイントネーションを変える様に、口から吐き出す空気を舌根の形を動かし硬口蓋、軟口蓋、口蓋垂、上咽頭など頭の後ろに向かって呼気を傾ければ共鳴が高く明るい響きに声色が変化していきます。反対に、その呼気を下の歯に当てたりもっと下の胸に呼気の向きを変化させると、響きが暗くなります。歌唱の中で表現力の高低は、この共鳴の変化力に大きな関係性があるのです。

(5) 絶対音感と相対音感

絶対音感とは、日常生活の中で鳴っている音を瞬時に音階で識別できたり、ピアノなどの鍵盤の音を鳴らさなくても、正確に音階を出したり、音名を当てることができる能力のことです。例えば、絶対音感の持ち主は、机を叩いたときに出る音が、ドレミのどの音に当てはまるか正確に言い当てることができます。

それに対して相対音感は、基準になる音との相対的な音程によって音の高さを識別できる能力のことです。カラオケで歌う際に、キーを上げたり下げたりしても、キーの変化に対応してメロディを合わせることができます。一般的に、ほとんどの人が本質的に持っているのが、この相対音感と言われています。

⑹ベルカント唱法

ベルカントとは、イタリア語で「美しい歌唱」とい言う意味です。声楽の黄金時代と言われる十七世紀頃のイタリアで確立された発声様式の呼び名で、イタリア語、オペラにおけるある種の理想的な歌唱法といえます。

5. 声が変わる三つの原因

⑴呼気量の低下

笑う、歌う、走るなどの運動をしているときには、通常の会話をしているときの約二倍の呼気を使うと言われています。その機会が少ないと、徐々に呼気量が低下してしまいます。特に日本語は抑揚が少なく、呼気が少なくても話せる言語のうえに、句読点で区切って話す習慣があり、一息で話すことが少ないことも呼気量の低下を招く大きな原因になっています。

(2) 声門閉鎖筋（声帯を閉じる筋力）の低下

私たちは、声門を閉じて物理的な声帯振動を起こすことで声を出しています。この声門を閉じるときに使う閉鎖筋が息を止めたときや、飲み込んだとき、力んだときに止息をします。それ以外は声門開大筋が働き、声帯は開いたままの状態で呼吸をしています。この声門閉鎖筋の筋力低下により、たるみやゆるみがでることで呼気が漏れ、声がかすれてしまいます。

下図は声帯を横から見た断面図になります。声帯は閉鎖筋を使い下図の様に色々な角度、向きに形を変え音色変化や声の大き

【声帯振動の模式図】

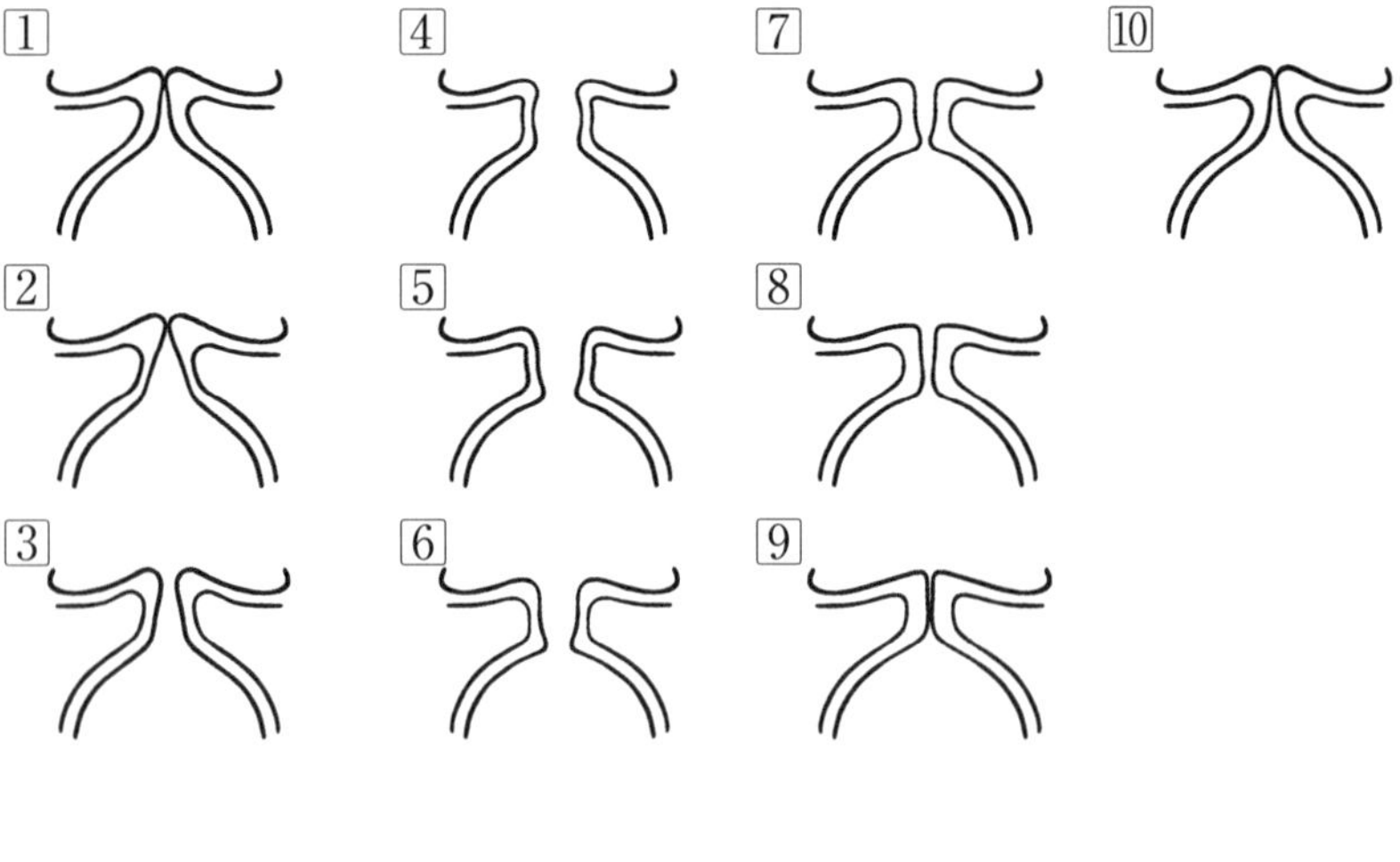

参考　榊原健一著『発声と声帯振動の基礎』日本音楽学会誌71巻

さ、高さを変えています。

その声門閉鎖筋は、声帯後方の披裂軟骨に付着しており、その披裂軟骨を近づけることにより声帯を内転、外転させます。この声帯のすき間の変化により歌唱の際に声質を変え、一人一人ちがった表現力にて歌に色を付け加えているのです。

喉と脳を繋いでいる神経に迷走神経と※反回神経があり、右側は右反回神経、左側は左反回神経といって左反回神経だけが大動脈を反回して脳に繋がっています。

したがって、左右の神経のつながりが同じではなく、心臓の周りの大動脈肥大により左反回神経が圧迫され閉鎖筋の動きに障がいが起き、人によっては声枯れが起きる傾向があるのです。

※反回神経麻痺
右または左反回神経のいずれかの障がいは、初期には嗄れ声（しゃがれごえ）となり、最終的には話すことができないことにつながる。反回神経麻痺は、その全長のどこに障がいがある場合にも起こりうる。さらに、反回神経を分枝する前の迷走神経に影響が起こった場合にも、喉頭に症状が起こりうる。

右肺尖の肺がんは、右反回神経に影響しうる。一方、大動脈肺動脈窓として臨床的に知られる肺動脈と大動脈の間の領域にがんが浸潤すると、左反回神経に影響しうる。

引用　『グレイ解剖学原著第三版』

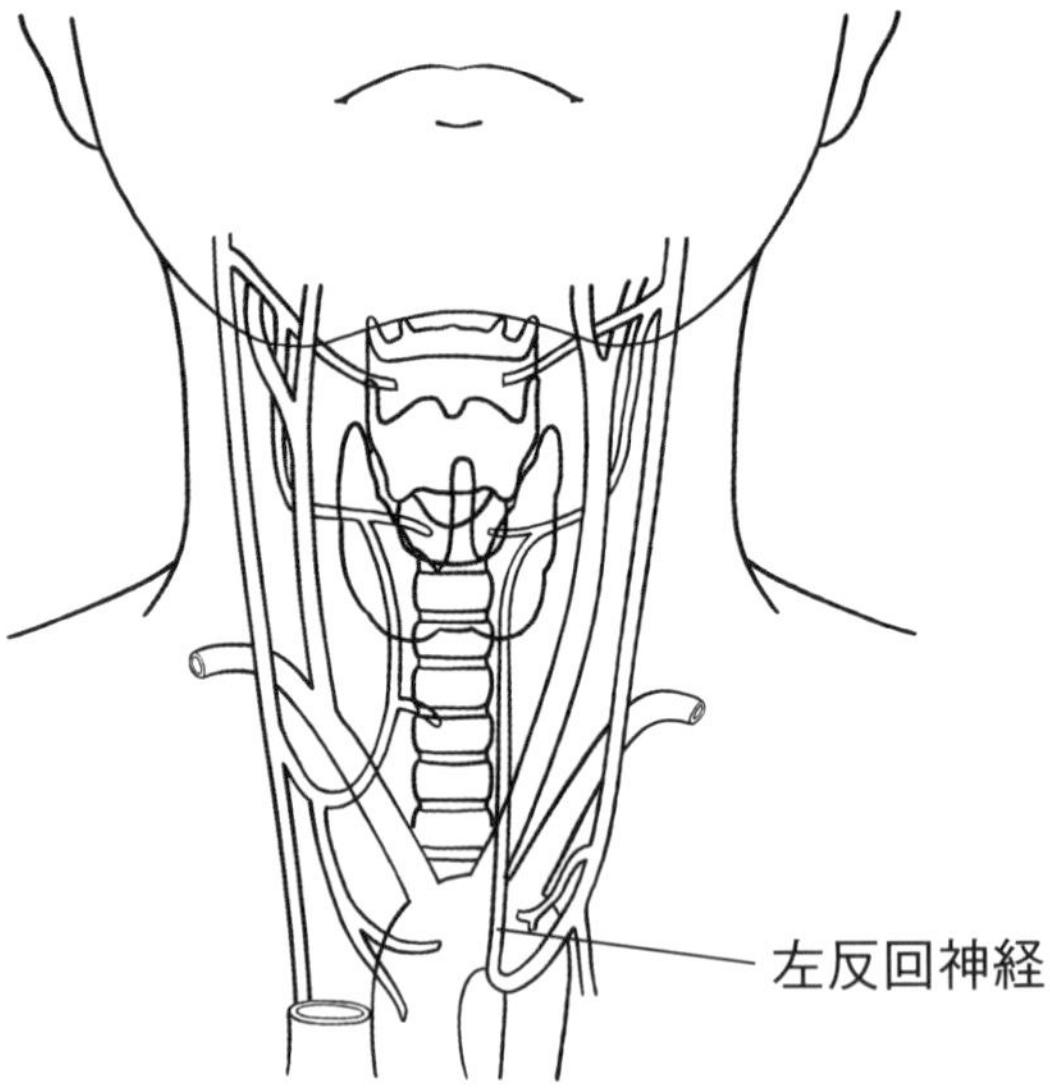

【喉頭の前面】

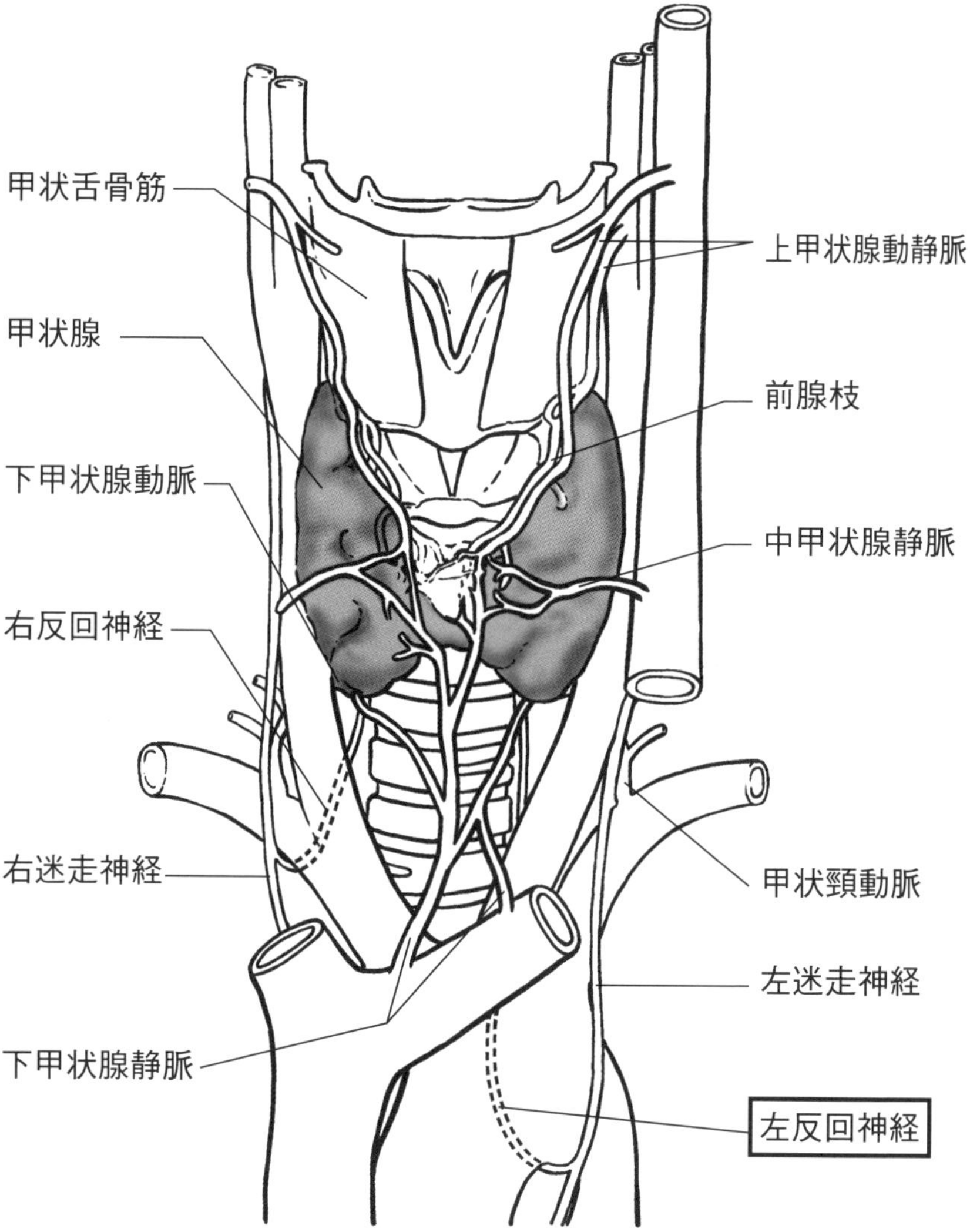

【甲状腺の血管と反回神経】（拡大図）

(3)伸展筋（声帯を前後に引っ張りあう、輪状甲状筋）の低下

声の高さを調節するときは、喉の奥の甲状軟骨と輪状軟骨とが支えている**輪状甲状筋**の働きにより距離を離したり縮めたりして声帯を伸展させます。このときに使うのが伸展筋です。伸展筋が衰えると声帯がゆるんでしまい、声門がうまく張れず声が低くなってしまいます。輪ゴムを引っ張るのと同じ原理で、輪ゴムを左右に引っ張ると隙間が狭くなるように、伸展筋の働きにより声門同士を近づけるのが容易になります。

力むと自然に息が止まるように、人は体に力を入れるとき、無意識に声帯を閉じて踏ん張りますので、声帯がうまく閉じられなければ、踏ん張りがきかないことになります。伸展筋が働くようになれば、声門閉鎖筋をうまく働かせることに繋がるのです。

※下の図は輪状甲状筋の働きです。

この様な三つの原因を予防するために、まず表情筋をしっかりと使い、口を縦に大きく開けることや、舌筋、軟口蓋、咽頭の口腔内筋力も重要です。筋力アップには、これらの筋肉が欠かせません。歌唱の中では特に必要です。この輪状甲状筋の働きが弱くなると声の大きさが弱くなったり高音が出づらくなったり、のびのびと響きのある声も出なくなります。裏声が出ない方も、この輪状甲状筋がうまく働かないことが原因です。

【輪状甲状筋の働き】

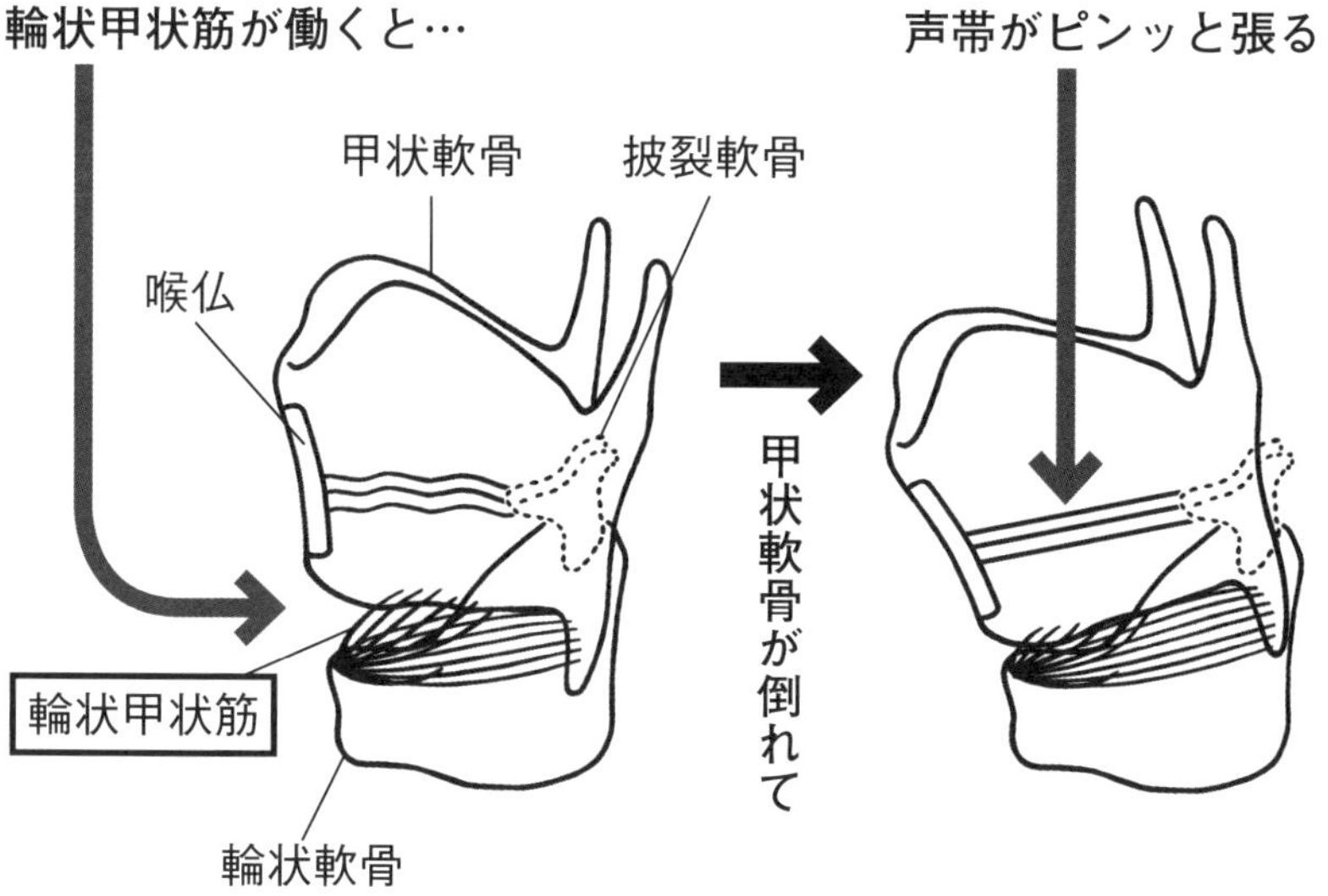

これらのトレーニング方法は、第5章にてご紹介いたします。

【医学的な喉頭解剖生理学の説明】

（喉頭内筋、喉頭外筋）

喉頭の骨格輪状軟骨は喉頭の枠組みの土台となり、甲状軟骨とは輪状甲状靭帯で結合し、披裂軟骨とは後板上で輪状披裂関節を形成しています。喉頭は、鼻腔、口腔から咽頭、喉頭、気管、気管支、肺へと続く気道の中間にあり、頸部正中で第四から第六頸椎の前方に位置し、上方は咽頭に、下方は気管につながり、喉頭の骨格は軟骨で構成され、声帯の位置や緊張を変化させせる内喉頭筋、軟骨をつなぐ靭帯、および喉頭全体を支える外喉頭筋からなっています。甲状軟骨は喉頭の前方と側方を囲む板状の硝子軟骨で、正中前方に突出し成人男性では喉頭隆起（Adam's apple）を形成してます。甲状軟骨の外側からアプローチする甲状軟骨形成術Ｉ型では甲状軟骨と声帯の位置関係が重要で、輪状軟骨は喉頭の枠組みの土台となるリング状の硝子軟骨です。輪状軟骨後板の上縁は甲状軟骨正中部の中点の高さ、つまり声帯の高さにほぼ一致しています。

喉頭の筋には内喉頭筋と外喉頭筋があります。内喉頭筋は喉頭の軟骨を結ぶ筋で、声門閉鎖筋、声門開大筋、声帯緊張筋に分けられます。声門閉鎖筋群には、収縮により声帯を短縮させて厚みを増し内方移動させる甲状披裂筋（内筋）、筋突起を前方に引いて声帯突起を内転させる外側輪状披裂筋（側筋）、両側の披裂軟骨を内方に引き寄せて声帯を正中に移動させる披裂筋（横筋）があります。披裂筋には横披裂筋と斜披裂筋があります。声門開大筋は後輪状披裂筋（後筋）のみで、収縮により筋突起を後方に引き声帯突起を外転させ、これによって声帯は外転します。声帯緊張筋には輪状甲状筋（前筋）があり、収縮により声帯が伸長して緊張が増し声を高くします。外喉頭筋には、舌骨上筋群と舌骨下筋群、咽頭収縮筋として甲状咽頭筋、輪状咽頭筋が含まれます。

喉頭の運動知覚は迷走神経支配で、枝は反回神経（下喉頭神経）、上喉頭神経に分かれます。内筋、側筋、横筋、後筋は反回神経支配で、前筋は上喉頭神経支配になります。

引用『喉頭の臨床解剖』日本耳鼻咽喉科学会 会報（内容一部変更）

【口の構造】

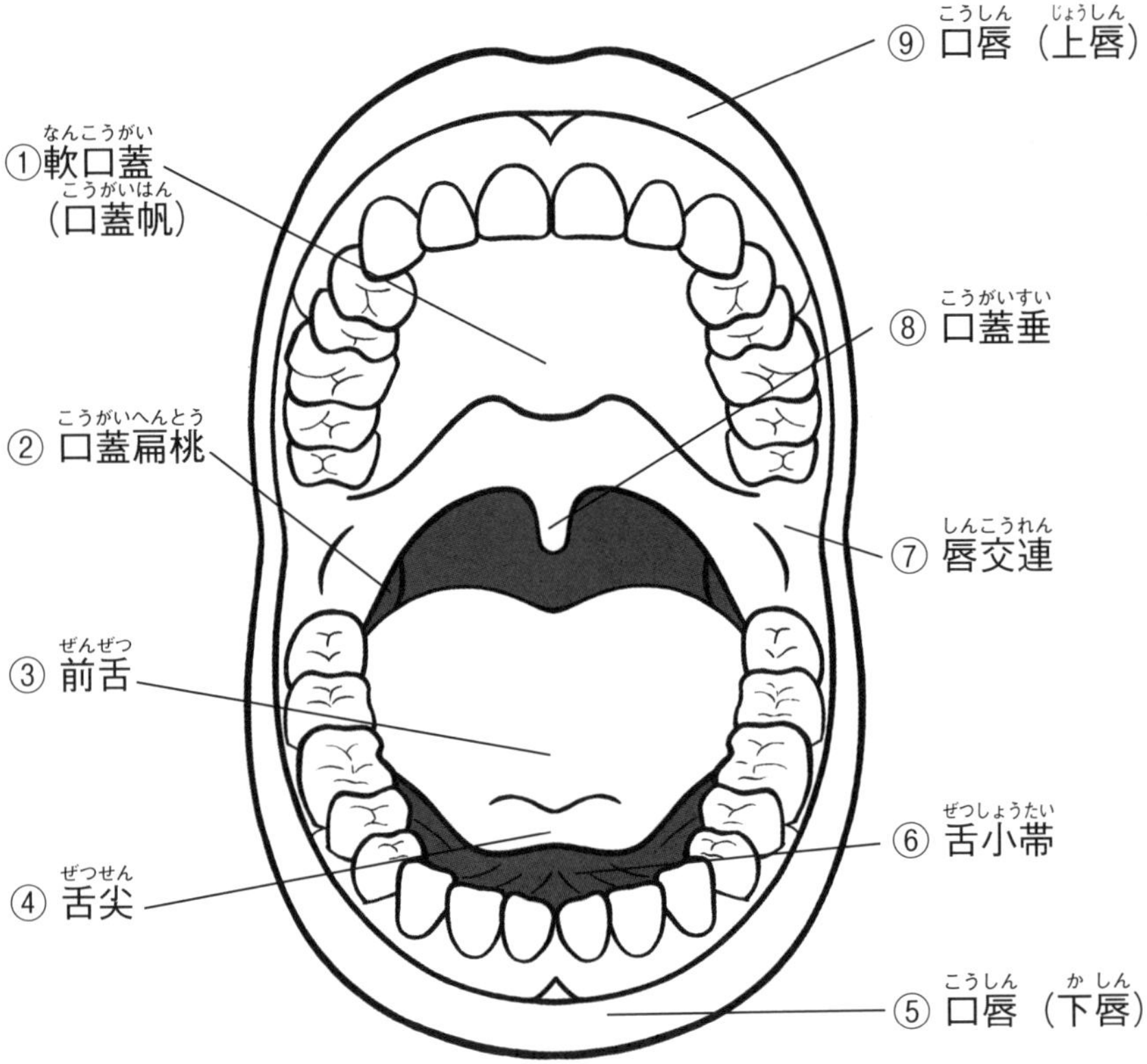
①軟口蓋《なんこうがい》
（口蓋帆《こうがいはん》）
② 口蓋扁桃《こうがいへんとう》
③ 前舌《ぜんぜつ》
④ 舌尖《ぜつせん》
⑤ 口唇《こうしん》（下唇《かしん》）
⑥ 舌小帯《ぜつしょうたい》
⑦ 唇交連《しんこうれん》
⑧ 口蓋垂《こうがいすい》
⑨ 口唇《こうしん》（上唇《じょうしん》）

【声門】

※図は後方からみた喉頭前壁

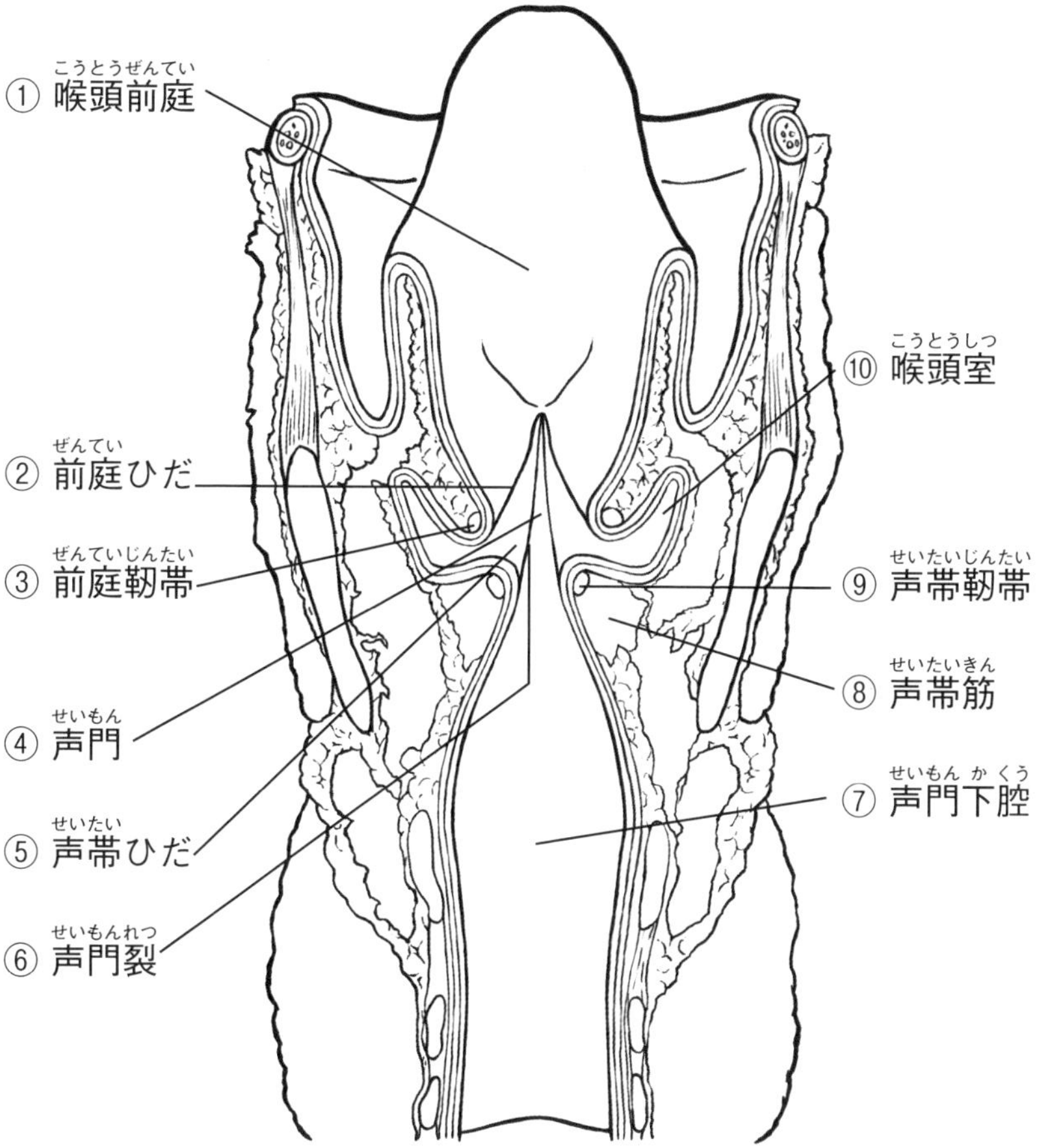

【喉頭軟骨】

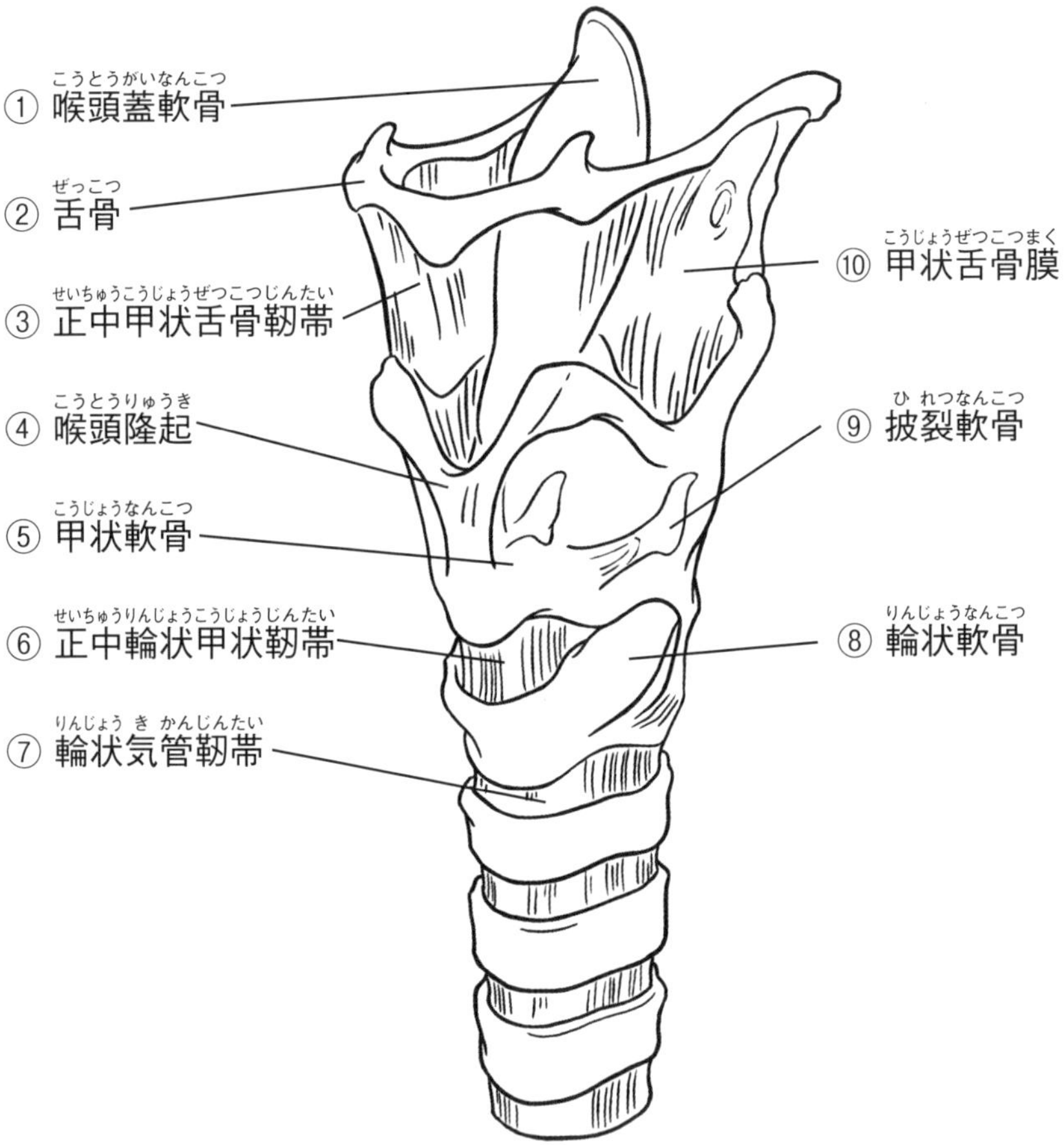
① 喉頭蓋軟骨《こうとうがいなんこつ》
② 舌骨《ぜっこつ》
③ 正中甲状舌骨靭帯《せいちゅうこうじょうぜつこつじんたい》
④ 喉頭隆起《こうとうりゅうき》
⑤ 甲状軟骨《こうじょうなんこつ》
⑥ 正中輪状甲状靭帯《せいちゅうりんじょうこうじょうじんたい》
⑦ 輪状《りんじょう》気管《きかん》靭帯《じんたい》
⑧ 輪状軟骨《りんじょうなんこつ》
⑨ 披裂軟骨《ひれつなんこつ》
⑩ 甲状舌骨膜《こうじょうぜつこつまく》

【舌骨筋】

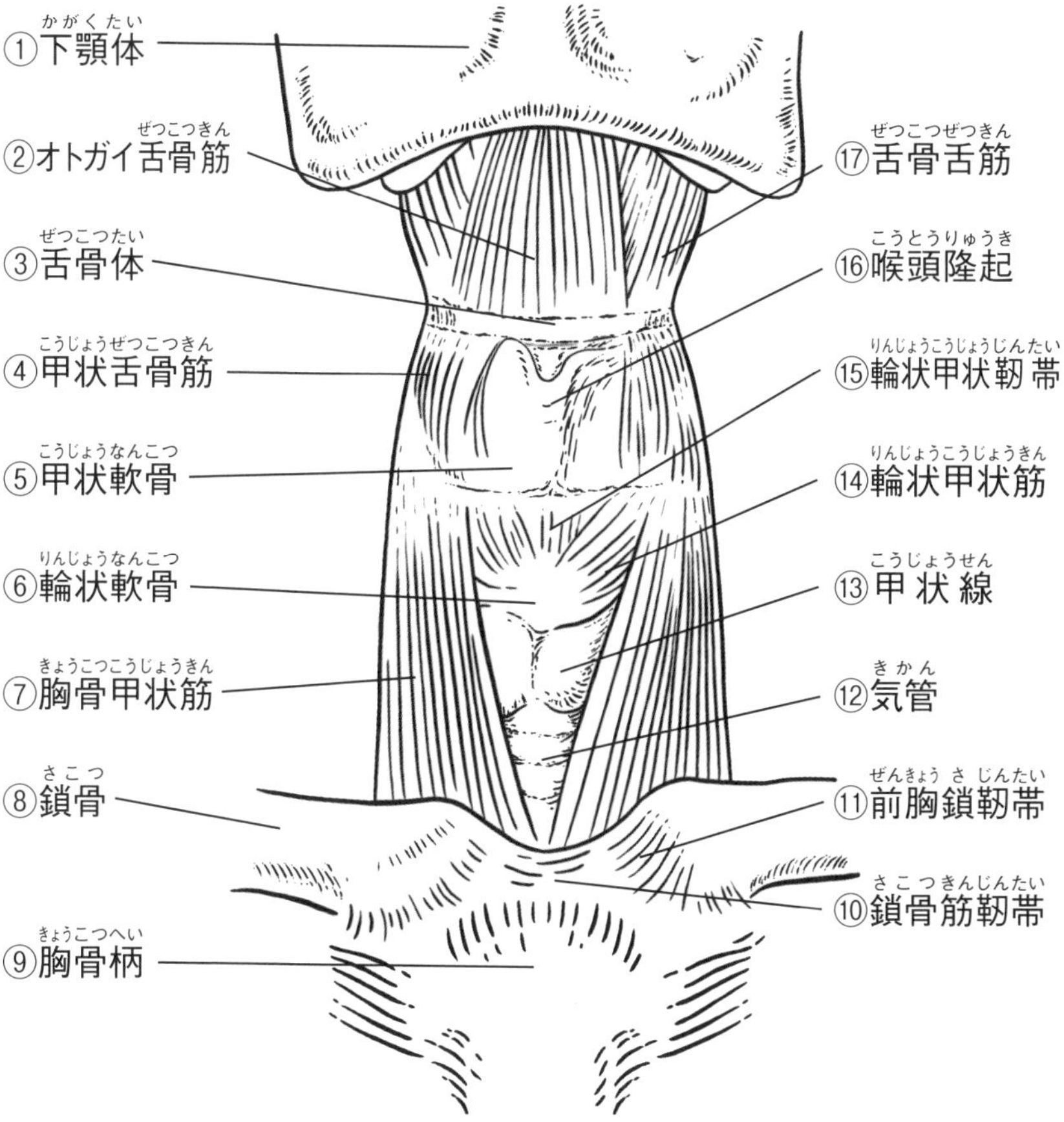
①下顎体《かがくたい》
②オトガイ舌骨筋《ぜつこつきん》
③舌骨体《ぜつこつたい》
④甲状舌骨筋《こうじょうぜつこつきん》
⑤甲状軟骨《こうじょうなんこつ》
⑥輪状軟骨《りんじょうなんこつ》
⑦胸骨甲状筋《きょうこつこうじょうきん》
⑧鎖骨《さこつ》
⑨胸骨柄《きょうこつへい》
⑰舌骨舌筋《ぜつこつぜつきん》
⑯喉頭隆起《こうとうりゅうき》
⑮輪状甲状靭帯《りんじょうこうじょうじんたい》
⑭輪状甲状筋《りんじょうこうじょうきん》
⑬甲状線《こうじょうせん》
⑫気管《きかん》
⑪前胸鎖靭帯《ぜんきょうさじんたい》
⑩鎖骨筋靭帯《さこつきんじんたい》

【頸部の筋】

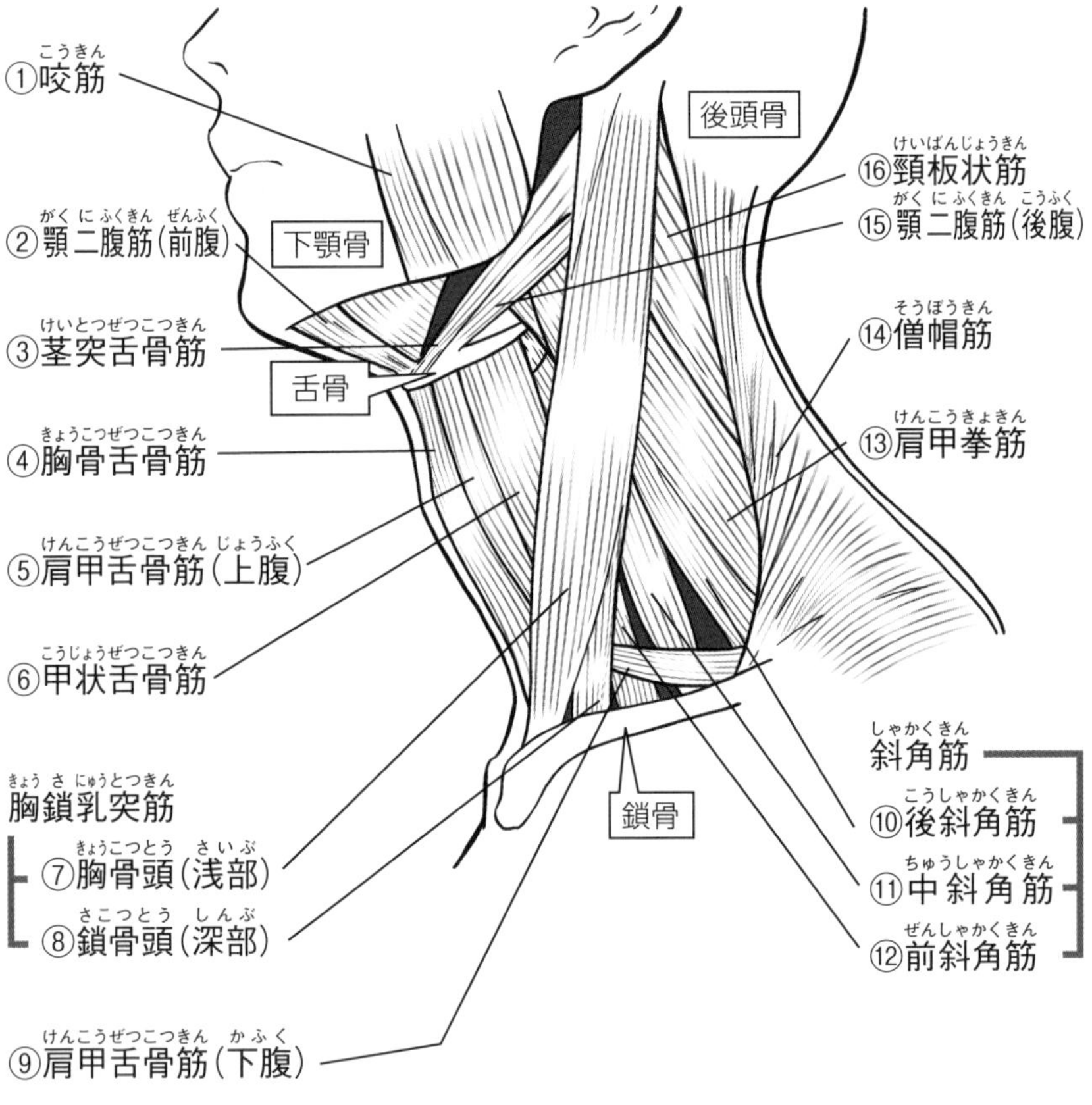
①咬筋《こうきん》
②顎二腹筋《がくにふくきん》（前腹《ぜんふく》）
③茎突舌骨筋《けいとつぜつこつきん》
④胸骨舌骨筋《きょうこつぜつこつきん》
⑤肩甲舌骨筋《けんこうぜつこつきん》（上腹《じょうふく》）
⑥甲状舌骨筋《こうじょうぜつこつきん》
胸鎖乳突筋《きょうさにゅうとつきん》
⑦胸骨頭《きょうこつとう》（浅部《さいぶ》）
⑧鎖骨頭《さこつとう》（深部《しんぶ》）
⑨肩甲舌骨筋《けんこうぜつこつきん》（下腹《かふく》）
下顎骨
舌骨
後頭骨
鎖骨
⑯頸板状筋《けいばんじょうきん》
⑮顎二腹筋《がくにふくきん》（後腹《こうふく》）
⑭僧帽筋《そうぼうきん》
⑬肩甲挙筋《けんこうきょきん》
斜角筋《しゃかくきん》
⑩後斜角筋《こうしゃかくきん》
⑪中斜角筋《ちゅうしゃかくきん》
⑫前斜角筋《ぜんしゃかくきん》

喉頭内筋	声門開大筋	後輪状披裂筋《こうりんじょうひれつきん》	→ 声門を広げる。
	声門閉鎖筋	外側輪状披裂筋《がいそくりんじょうひれつきん》	→ 声帯を強く閉じる。
		横披裂筋《おうひれつきん》	→ 声門の閉鎖。
		斜披裂筋《しゃひれつきん》	→ 声門列を閉じる際の協力筋。
		声帯筋《せいたいきん》	→ 声帯に緊張を与える。
		甲状披裂筋《こうじょうひれつきん》	→ 声帯を弛緩させ声帯襞の振動部分の長さ、太さを調整する。
	声帯伸展筋	輪状甲状筋《りんじょうこうじょうきん》	→ 声帯を長くし緊張させる。
喉頭外筋	「喉頭引き上げ筋」喉頭挙上筋	顎二腹筋《がくにふくきん》 前腹《ぜんふく》、後腹《こうふく》	→ 顎を押し下げる、舌骨を上げる。
		茎突舌骨筋《けいとつぜっこつきん》	→ 舌骨を上後方に引く。
		顎舌骨筋《がくぜっこつきん》	→ 舌骨と舌を引き上げる。
		オトガイ舌骨筋《ぜっこつきん》	→ 舌骨を引き上げる、前に引く、顎を下げる。
	「喉頭引き下げ筋」喉頭降下筋	胸骨舌骨筋《きょうこつぜっこつきん》	→ 舌骨を引き下げる。
		肩甲舌骨筋《けんこうぜっこつきん》	→ 舌骨を上後方に引く。
		甲状舌骨筋《こうじょうぜっこつきん》	→ 舌骨を下げる。甲状軟骨と舌骨の間隔を近づける。
		胸骨甲状筋《きょうこつこうじょうきん》	→ 甲状軟骨を下方に引き下げる。
	補助筋	舌骨舌筋《ぜっこつぜっきん》	→ 舌を後方に移動させる。
		オトガイ筋《きん》	→ 口唇周囲にかけての口筋。
		胸鎖乳突筋《きょうさにゅうとつきん》	→ オトガイを上げて後頭部を前下に引く。また強い呼吸のとき胸部を上げ吸息を助ける。

参考『解剖学 第一巻』金原出版　（内容一部変更）

【咀嚼筋】

咀嚼筋の作用

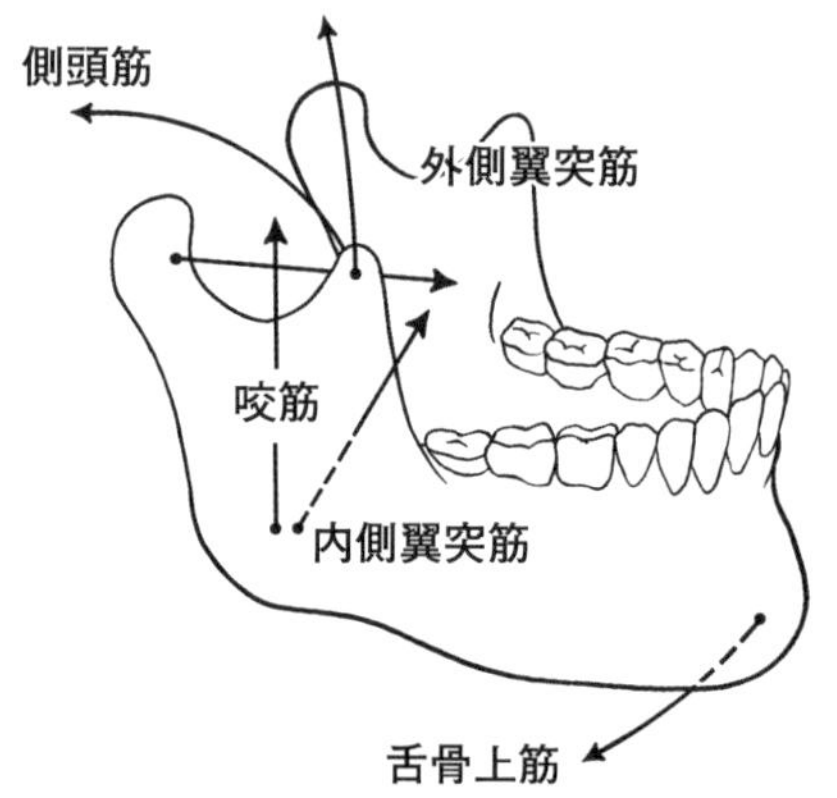

下顎骨の運動

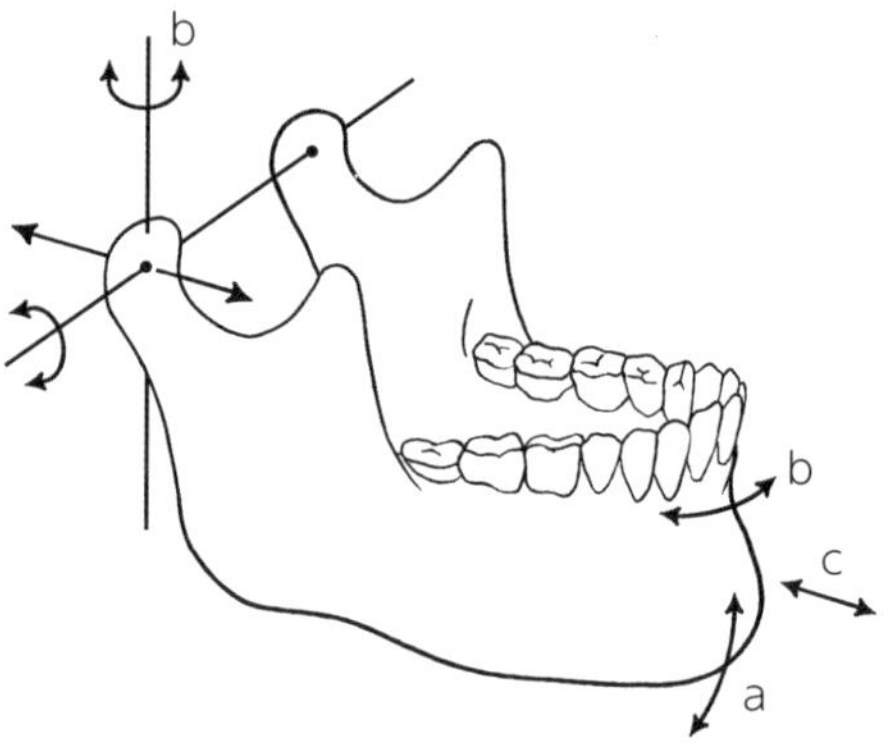

a：水平軸を中心とする下顎骨の回転
b：垂直軸を中心とする下顎頭の回旋
c：関節円板が下顎頭とともに前後に動く

※咀嚼筋の作用

下顎骨の挙上（歯をかみ合わせる）には側頭筋、内測翼突筋、咬筋が働く。下顎骨を前方に引くのは両側の外側翼突筋、これを後方に戻すのは両側の側頭筋後部の働きによる。

参考『解剖学 第一巻』金原出版（内容一部変更）

6. 家庭でできる声を守る 五つの秘訣

(1) 喉を乾燥させない

乾燥すると、肌同様に喉も荒れやすくなります。こまめに水分を補給し、乾燥する季節は室内では加湿器を使うなど、喉を痛めない工夫をしましょう。特に口呼吸では、吸った空気が直接喉に触れて乾燥させるだけでなく、空気中にある雑菌を喉に運んでしまうため、喉を傷める原因になります。

また、鼻の粘膜には、体内温度の調整機能がついています。外気の冷たい空気などを口から直接吸い込むと雑菌やウイルスも喉に付着しやすいですし、喉も冷たくなり声帯の動きも悪くなります。日常生活の中ではできるだけ鼻呼吸をするように意識し、体調管理に気をつけましょう。

(2) 喫煙を控える

喫煙は熱い煙を吸い込むため、声帯を燻しているのと同じことになります。しかも、煙にはニコチンやタール、一酸化炭素といった有毒物質が多く含まれています。痰が多く出る原因にもなりますし、たばこ焼けにより声帯の形が変わるので高音も出なくなります。声を守るために喫煙は、できる限り控えましょう。

(3) 飲酒

飲酒はアルコール度数に気を付け適量を飲むようにしましょう。飲酒した翌日に声が出にくくなる、いわゆる「酒やけ」も声帯が伸びてたるんだ状態です。時間が経てば元には戻りますが、過度な飲酒はそれだけ喉に負担がかかりますので、気を付けましょう。

(4) 睡眠

どんなに正しい発声をしていても長時間声を出せば、喉が疲れたなとか、声が枯れたなと思う状態はどなたにもあることだと思います。その様なときの喉の一番の回復方法は、やはり睡眠です。寝ることにより声帯がリラックスし、たるみを作り再生を始めます。但し、口が開いたままで寝てしまうと喉が乾燥し逆効果になります。口呼吸にならないようにマスクなどをしながら、鼻呼吸で七時間以上睡眠をとらないと声帯の回復にはなりませんので、十分な睡眠を心がけましょう。

⑸舌筋のトレーニング

日常会話や歌唱の際の表現力、高い声を出すときに必要なのが舌筋トレーニングです。その他、舌の筋肉は顎関節症の改善、嚥下障がい、誤嚥性肺炎、無呼吸症候群を防ぐ効果があると言われています。さらに、舌を動かすと唾液の分泌量が増えるので、唾液による殺菌作用の効果により声帯の乾燥を防ぎ、免疫力を高め、風邪やウイルスから身体を守ることができます。また、体内の血流循環も良くなります。

コラム

1/f（エフ分の一）のゆらぎについて（共鳴）

　近年、ゆらぎ理論が注目され、特に人に快感を与えるリズムとして、人間工学的に研究されています。「ゆらぎ」とは、一見一定であっても、実際は平均値前後で絶えず変動していることを意味し、予測できない空間的、時間的変化や動きのことをいいます。例えばそよ風を分析してみると、「ゆっくりした変化ほど変動の度合いが大きく、速い変化ほど変動の度合いが小さい」という性質をもっているのが分かります。言い換えると、変動の大きさと振動数は反比例しているのです。

　一定期間内の同じ振動状態の繰り返しを、周波数（frequency）で表すことから、このような変化を、頭文字を取って「f分の一ゆらぎ」とよんでいます。

　元々アメリカのJ.B ジョンソンが真空管の出す雑音を研究中に発見したもので、それをf分の一ノイズ（雑音）と呼んだことから始まりました。

　f分の一ゆらぎは、そよ風の他、川のせせらぎや潮騒の音、音楽の強弱やテンポ、絵画の濃淡の変化など、身の回りに広くみられ、人間の心地よさと深いところで繋がっているのではないかと考えられています。

例えば、心地よいと感じる風は、風速だけではなく、風向きも時々刻々変化していて、やはりf分の一ゆらぎのリズムをもっているといえます。

しかし、風速に変化があっても、常に一定方向から吹いているのであれば、逆に煩わしさを感じるものです。風向きも微妙に変化していてこそ、心地よい風として認識されるのです。

音波は音の波のことで、その波の振動が鼓膜を振動させ、脳に音としての情報を伝えます。その波が一秒間に起こす山の数を振動数または周波数（単位はヘルツ（Hz））と呼びます。

逆に、山から山までの時間を周期と呼び、この周期が、一つの音波でも毎回違うことをゆらぎが生じていると定義しているのです。

具体的には、ブザーの音は、音の波自体機械的で振動数や周期が固定されているため、ゆらぎを生じません。

しかし、人間が弾いたバイオリンなどの楽器は、一定の音階を弾いていたとしても、指の力加減や手の微妙なゆれなどにより、人間には聞き取れないゆらぎが生じています。これを人間味のある気持ちの良い音と感じるわけです。

（引用『ゆらぎの発想』日本放送出版協会）（内容一部変更）

第5章　レッスン方法【実践編】

1．高橋式メソッド発声法

【独自の見極め】

私が、ボイストレーニングを始める前に必ず行うことは、対象者の声帯の左右のバランスの確認です。左右の声帯の音の大きさの違い、声帯原音がきちんと鳴っているか、声帯開閉がどのくらい動くか。声のかすれ具合や骨伝導から聞こえてくる声帯原音の大きさを聞き分けます。その他、呼吸の力、舌筋、舌根の働き、軟口蓋・口蓋垂の上がり、咽頭の柔らかさ、喉頭挙上筋群・胸骨甲状筋の筋肉の有無、声帯伸展筋・声門開大筋の働き、声門閉鎖筋の筋力の有無、横隔膜や腹筋、背筋の状態など、顔や口の周りだけではなく体全体の筋肉を拝見します。

次に、顔面筋、表情筋、唇（口輪筋）、口角の左右のバランス、胸鎖乳突筋、鎖骨筋を主観的かつ客観的に総合診察します。問診では、その方に持病があるかどうか、足腰が悪くないか、肩の高さ、奥歯の有無、利き手など細かくお伺いします。その診察結果により、個々に合わせたボイストレーニングメニューを作っていきます。

(1) 顔面筋・表情筋のトレーニング

①歯が見えるように口を大きく開けて、閉じるを五〜十回繰り返し動かします。

①

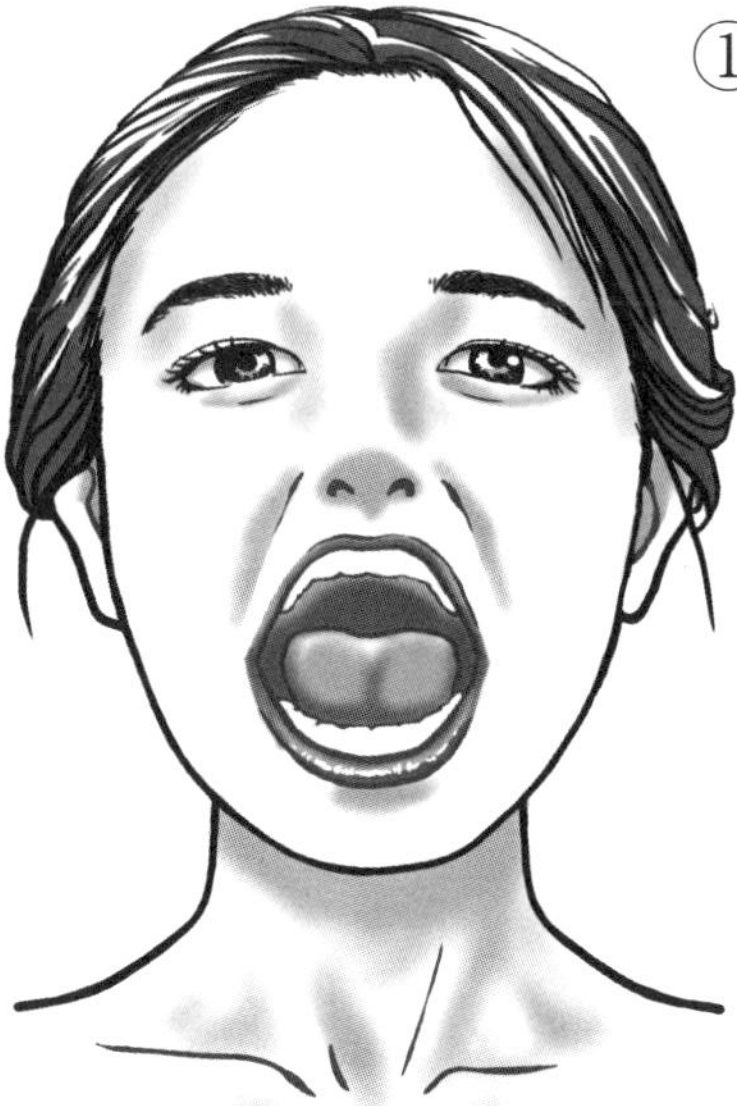

②「エ」の口で上の歯が見える様に口角を上げます。五～十回上げて戻すを繰り返します。

③左右の頬を引っ張って戻すを五～十回繰り返してください。そのとき、首筋肉の胸鎖乳突筋と鎖骨筋も一緒に意識しながら引っ張ってください。手を使っても頬筋のみで引っ張っても構いません。

②

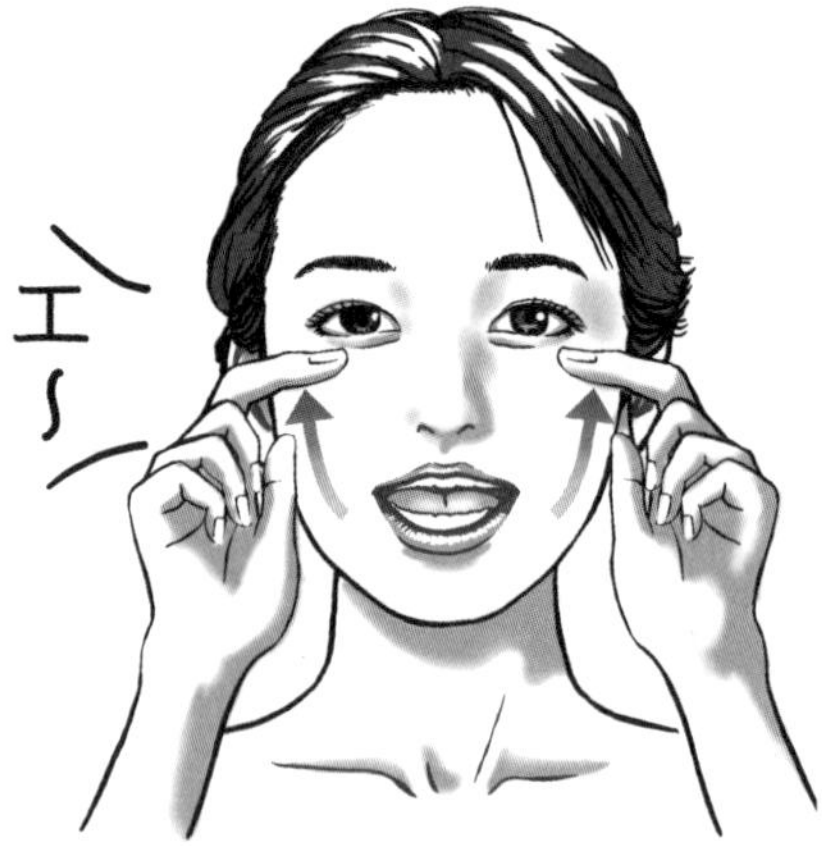

③

④次に、目を大きく見開き、おでこを上下に五〜十回動かします。

⑤鼻の穴を大きく広げ、唇を尖らせる様に（たこ口）前に顔を突き出し戻す、突き出し戻すを五〜十回繰り返します。

(2)舌筋・舌根トレーニング・滑舌（喉頭挙上筋群）

①顔を上に向け、舌を真っ直ぐ上に向けて引っ張り上げて戻す。これを十〜二十回動かします。そのとき、一緒に喉仏も動くように持ち上げ繰り返します。

①

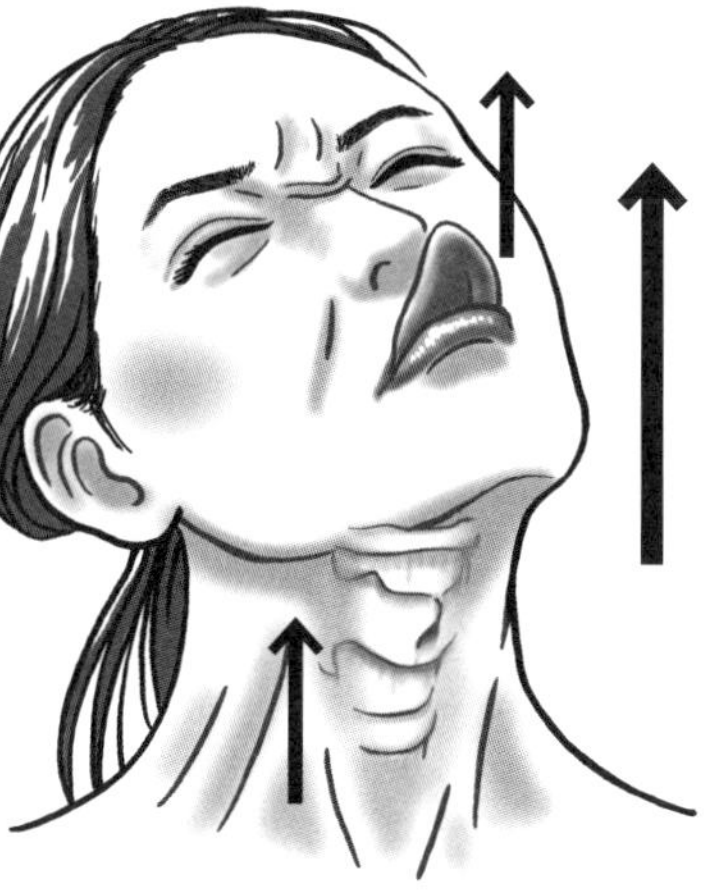

②舌を歯の外側に添うようにして左右にグルグルと回します。右回り二十回、左回り二十回ずつ回します。

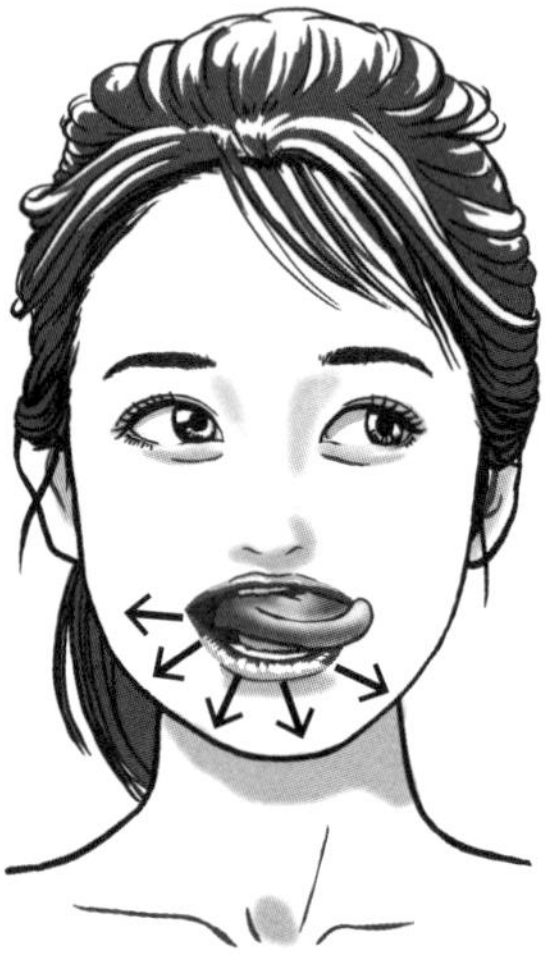

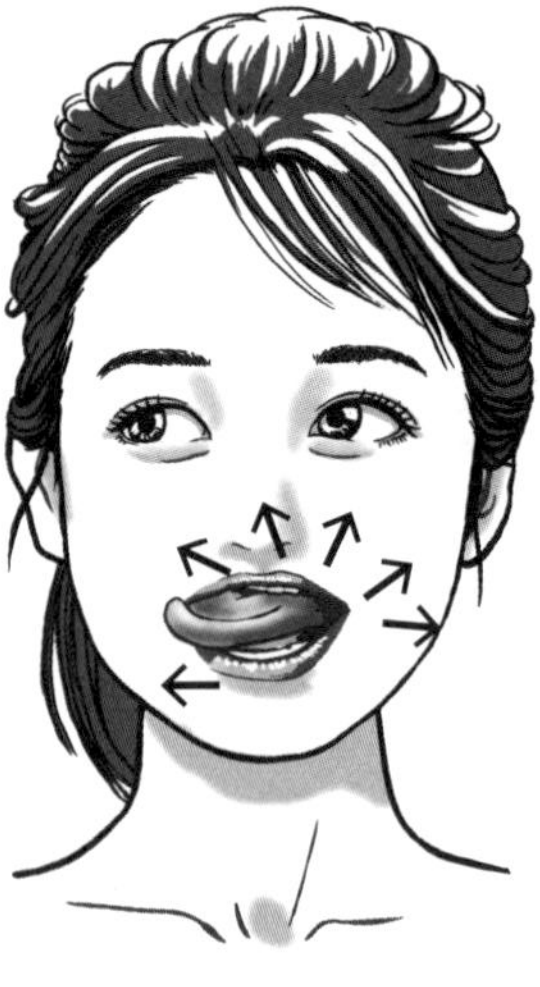

③舌先の運動です。大きくはっきりとラリルレロと発音し、二十回動かします。

④唇の運動です。大きくはっきりとパピプペポと発音し、二十回動かします。

⑤巻き舌の練習です。舌を柔らかく素早く動かし、一息で五セット動かします。

⑥※リップロールの練習です。口先を柔らかく素早く動かし、一息で五セット動かします。

※リップロールとは、唇を閉じた状態で息を吐き出し、唇をブルブルと震わせるトレーニングのことです。リップロールを行うと唇だけではなく、首や表情筋、口輪筋なども柔らかく動かすトレーニングになります。

(3) 顎のトレーニング

①下顎を上下左右に二十回動かします。

②下顎を前後に二十回動かします。

※但し顎関節症の方は、この練習は控えて下さい。顎関節症を治すトレーニングは、前項の舌回し（グルグル回し）が効果的です。

①

口をパクパクと
20回程開閉する

②

下顎だけを左右に
20回程動かす

(4) ストレッチ

肩甲骨、胸鎖乳突筋、鎖骨筋、横隔膜など姿勢や体幹はストレッチによって鍛えることができます。体幹を鍛える際はバランスボールやマットを使い、横隔膜を鍛えるときは椅子やストレッチボールを使います。

横隔膜を鍛えることで肺活量が増加するため、安定して通りの良い声が発声しやすくなったり、声量を増やしたりすることができます。

さらに、体幹を鍛えることで身体のバランスが良くなりますので、よりリラックスした状態で腹式呼吸が行えるようになります。

○肩甲骨を前後に十回まわします。

○首を左右に十回まわします。

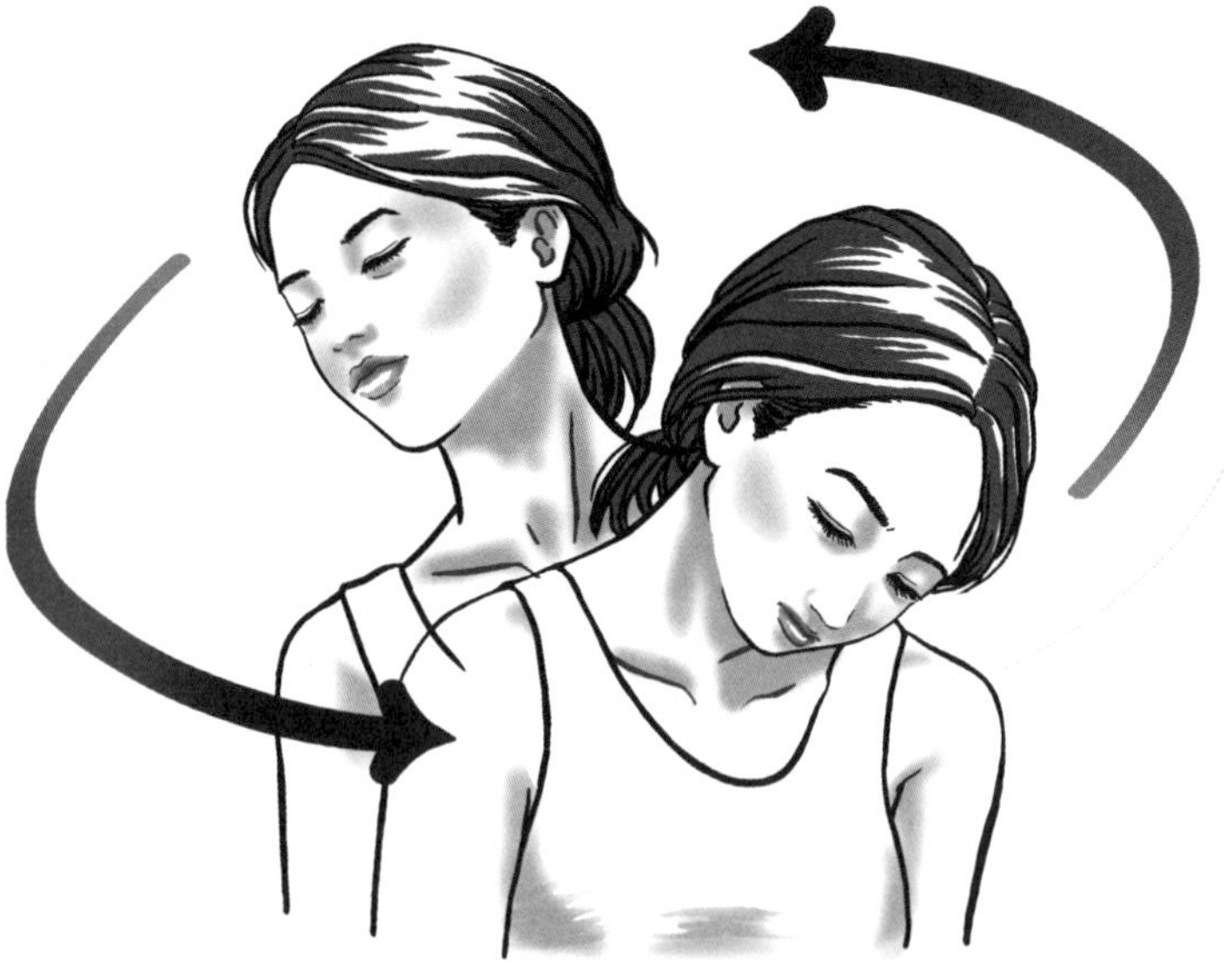

○肋間筋を広げる練習です。胸郭を前に突き出すように五秒間広げてからゆっくりと戻します。これを五回繰り返します。

(5) 止息

まずは、腰を掛けた状態で息をたくさん鼻から吸います。吸い切った所で口を開けたまま息を十秒間止めます。この状態を声帯が蓋をしている止息と言います。休息を取りながら五回セット練習します。

※個人差がありますので、この練習は決して無理をせず、止息五秒間を二回セットでも問題ありません。

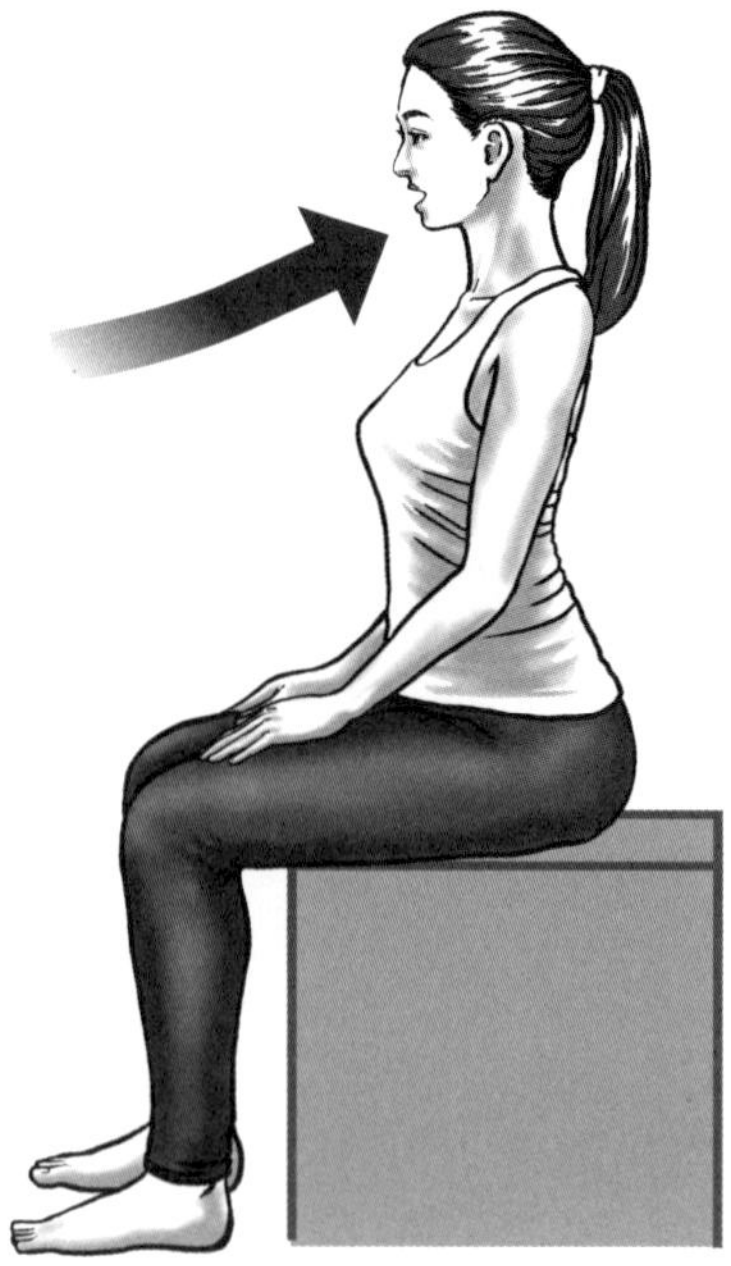

(6)呼吸のトレーニング　(胸式呼吸・腹式呼吸)

①五秒間かけて肩が上がるように鼻から空気を上向きに吸い、五秒間息を止め、肩を下げながら十秒間かけて口から空気を吐切ります。これを五回セット行います。

【胸式呼吸】

①

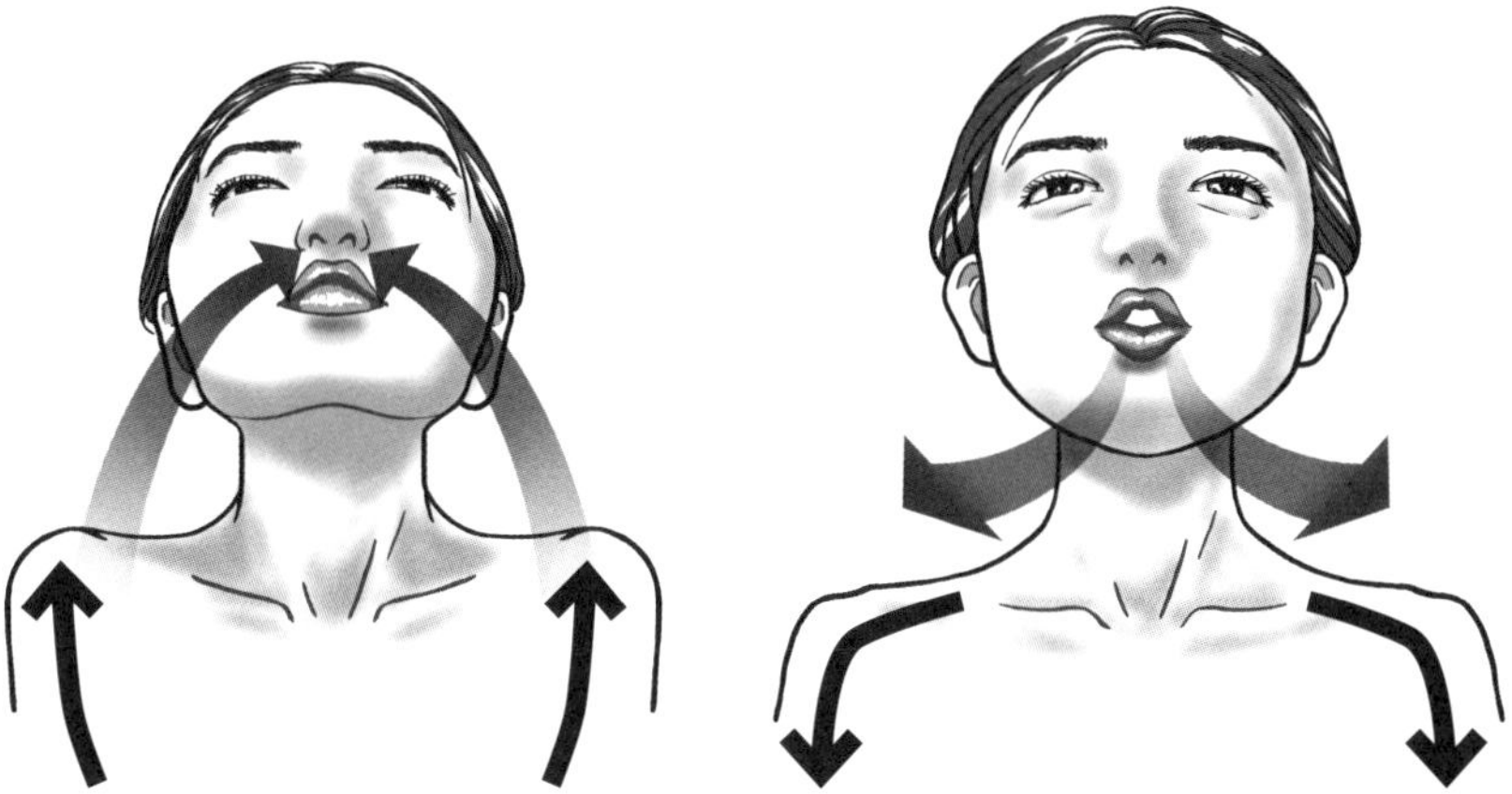

②次は腹式呼吸です。肩が上がらないように意識をしながら、お腹を膨らませるようにゆっくり鼻から空気を吸います。吸い切ったところでお腹を圧縮するように強く空気を吐き切ります。吐けるところまで空気を吐き出すと、お腹が自然とへこんでいきます。これを五回セット行います。

【腹式呼吸】

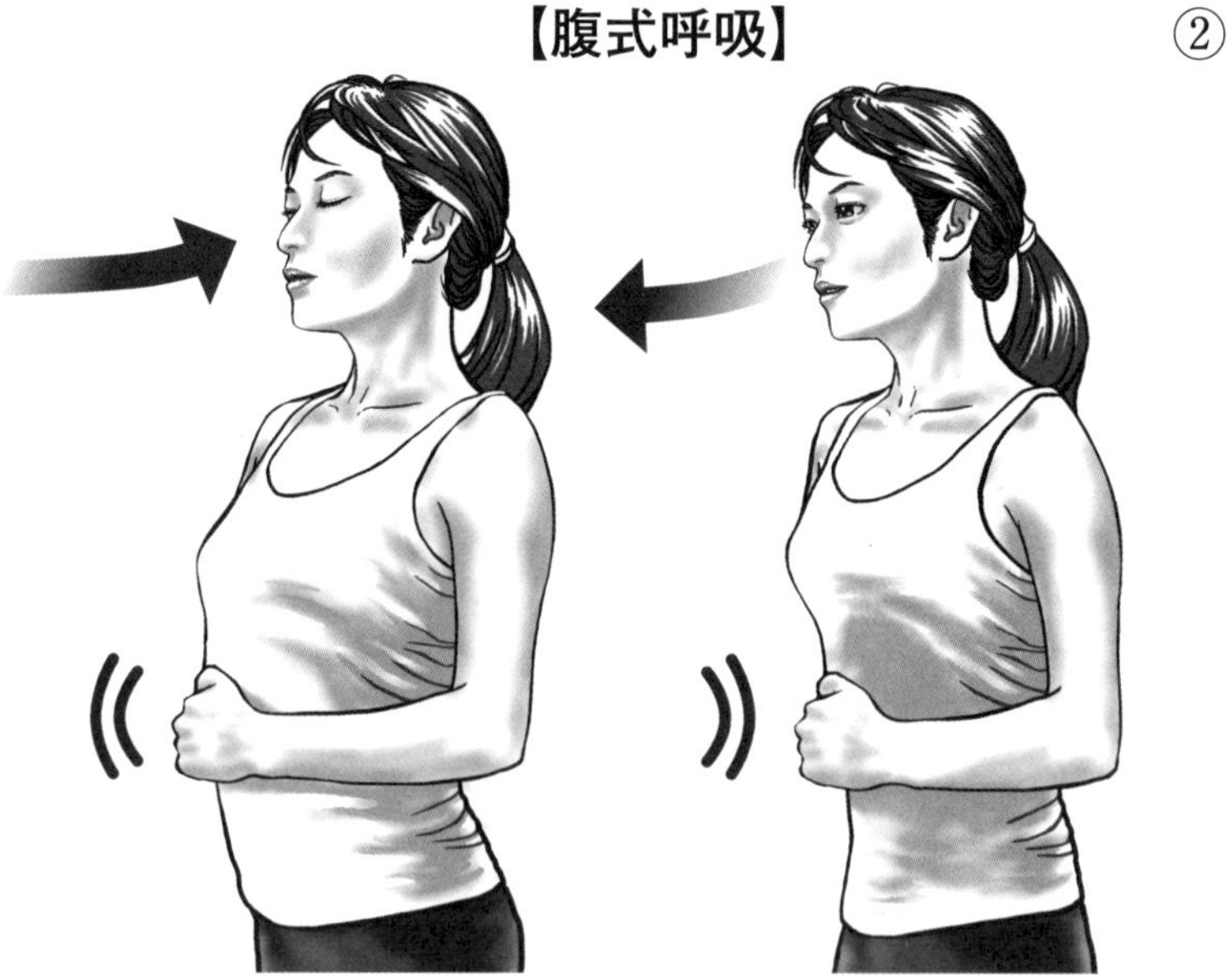

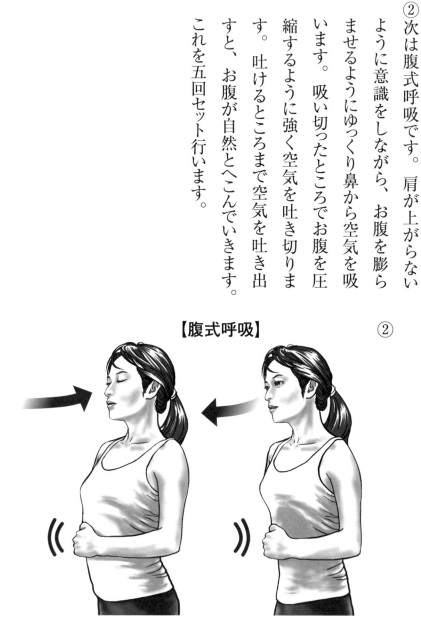

③次は瞬発的に大きく呼吸筋を使う練習です。口から素早く吸ってお腹を膨らませ、口から素早く吐いてお腹をへこませます。（十回セット）

④次は細く長く空気を使う練習です。たっぷり空気をゆっくり鼻から吸い、二十秒から三十秒かけてゆっくりと細く長く息を吐きます。（十回セット）

ここから先のトレーニングも、チャレンジしてみてください。

⑤ゴム風船を使った練習です。市販のゴム風船を一息で大きく膨らまし、口元から離す。また大きく膨らまし離します。（十回セット）

※膨らませた風船はその都度萎ませてください。

⑥呼吸筋をより強く鍛えるためのトレーニングです。二リットルの空のペットボトルを口にくわえて、息を吸ったり吐いたりを繰り返す練習です。（十回セット）

《ここからは実際に声を出してみましょう！》

⑺発声のトレーニング

（それぞれのレッスンの音源は、ホームページから確認できます）

①空気を口から一息で素早く吸い、そのあと地声で「アー」と真っ直ぐ延びる所まで一息で延ばします（ロングトーン）。（三十回セット）

①

②地声で母音の「アーエーイーオーウー」と口を動かし延ばします。（三十回セット）

「ア」の口　大きく縦に開けます。

「エ」の口　横に開けます。

「イ」の口　もっと大きく頬を横に開けます。

「オ」の口　アの口を少し閉じるとオの形になります。

「ウ」の口　オの口をもっと閉じるとウの形になります。

※母音を一つ一つ切らずに、繋げて言葉を発声します。

③次は子音の練習です。「ハーヘーヒーホーフー」と口を動かし、一息で子音を延ばします。（三十回セット）

※一息で息を使い切るように空気を吐きましょう。

②

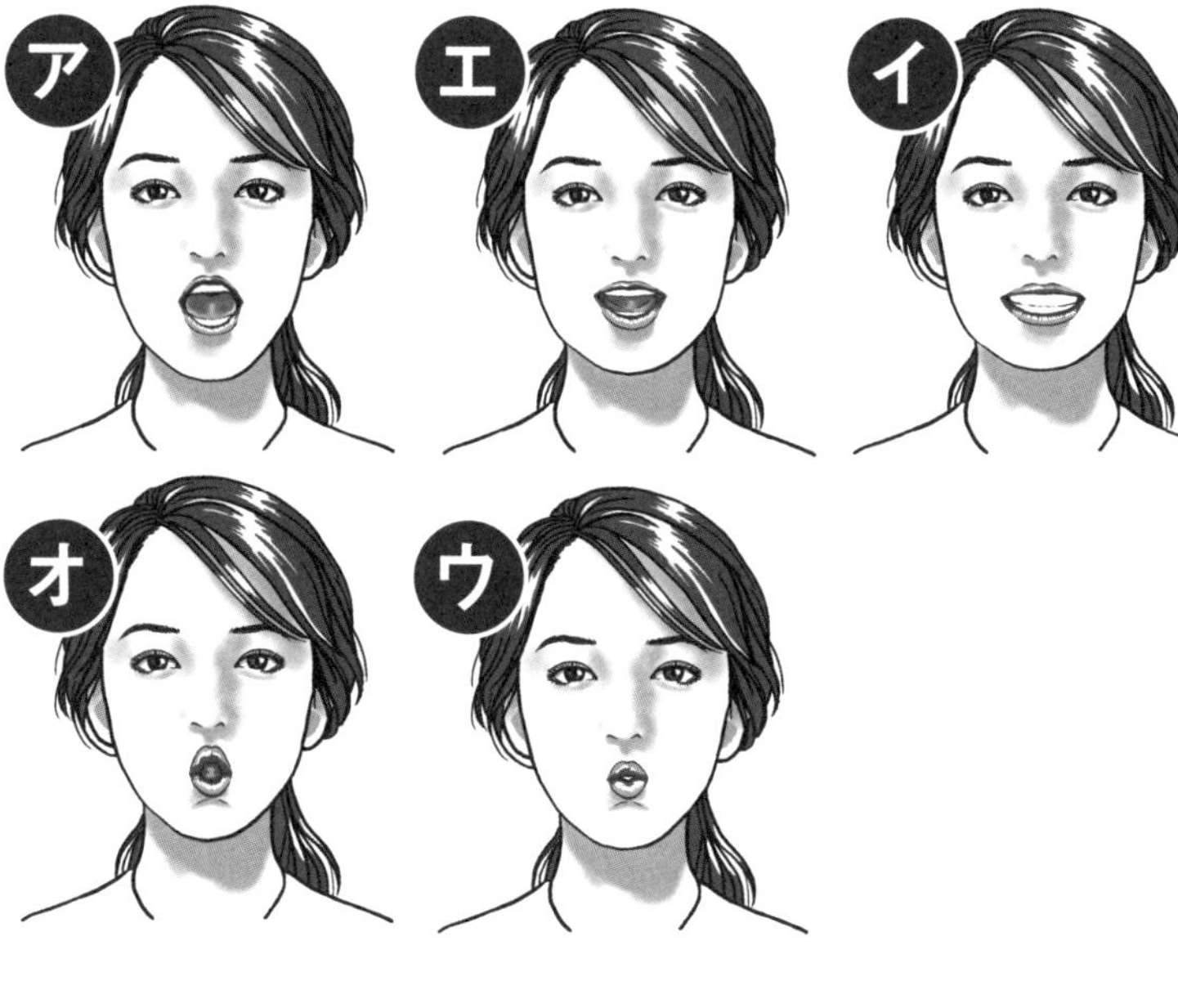

(8) 声帯筋を鍛えるトレーニング（声帯筋・内側甲状披裂筋・外側甲状披裂筋）

①止息運動を行い披裂筋を鍛える練習です。息を止めることで、左右の声帯同士が披裂筋の働きにより蓋をして呼吸を止めます。地声で「アッ」と声を出し、息を止める。「アッ」と声を出し息を止める。これを五十回以上を目安として繰り返し、声帯を開閉する発声練習です。このトレーニングは、瞬発力はもちろん、声帯原音を大きくし、左右の声帯のバランスを整え高音を出しやすくするとても大事なトレーニングです。

※注意！
必ず体は真っ直ぐに立ち、肩が左右斜めにならないように発声して下さい。身体が真っ直ぐ前を向いていないと左右の声帯のバランスが悪くなります。

【声帯の内喉頭筋】

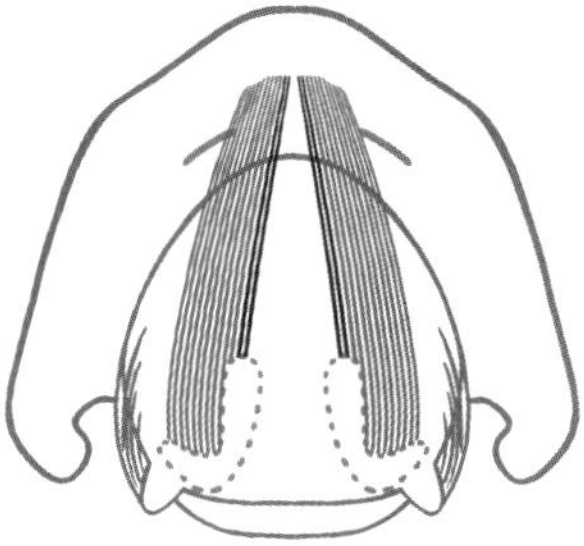

声帯靭帯
（声帯筋）

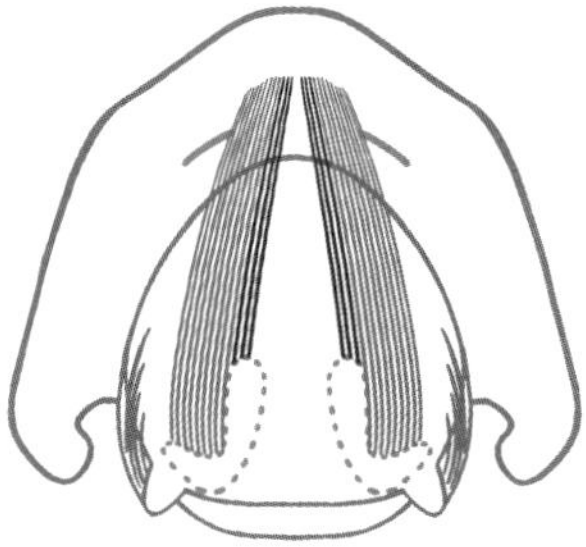

内側甲状披裂筋
（内筋）

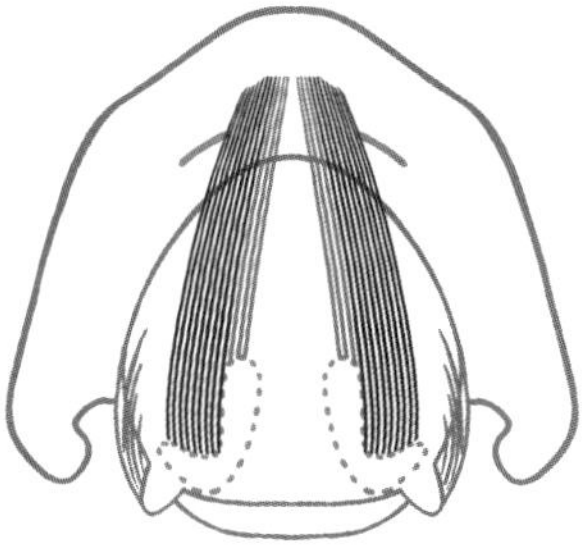

外側甲状披裂筋
（外筋）

【喉頭周りの筋肉】

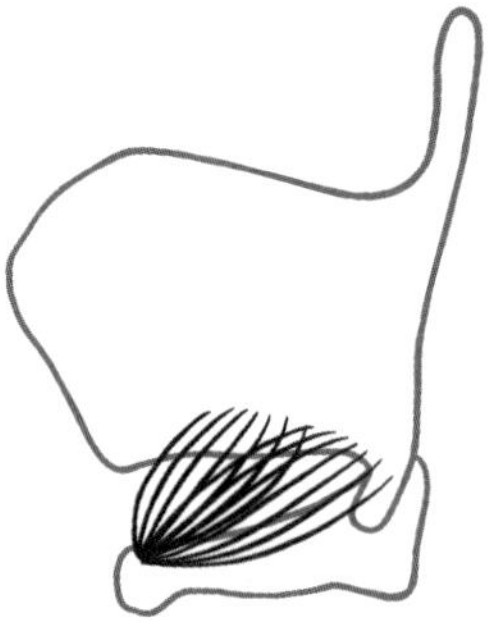

輪状甲状筋

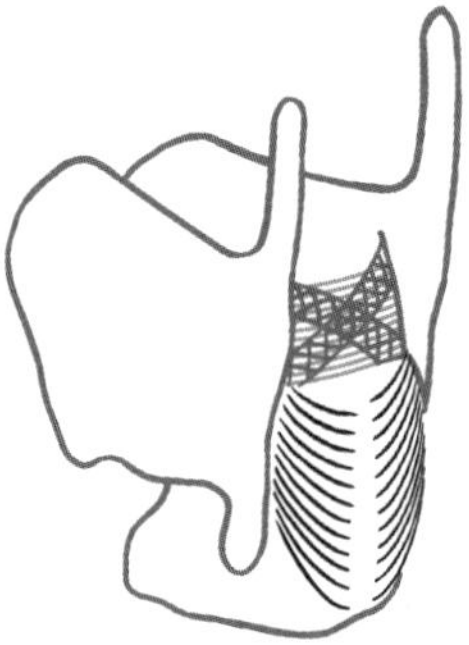

後輪状披裂筋

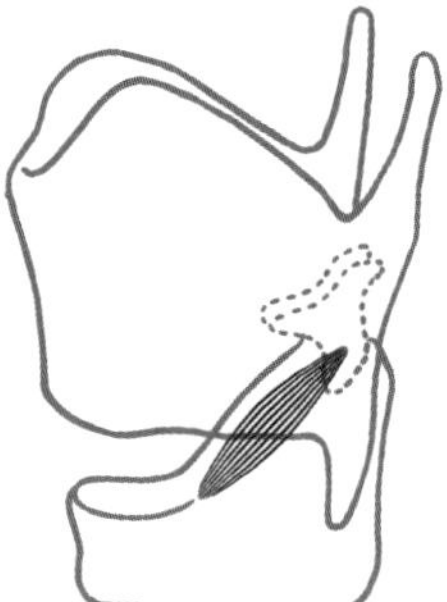

外側輪状披裂筋
（側筋）

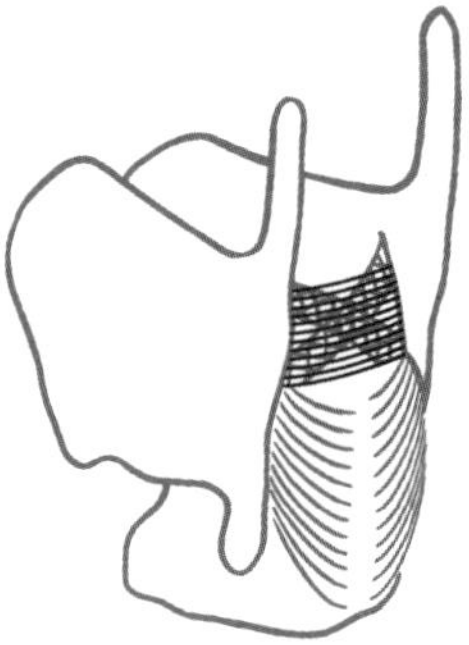

横披裂筋
（横筋）

②次に鼻声を意識しながら発声をしてみてください。自然と軟口蓋や口蓋垂を持ち上げ鼻声が発声できると思います。そうしましたら鼻腔共鳴のまま「アッ」と声を出し息を止める、「アッ」と声を出し息を止める。これを五十回以上繰り返します。声帯筋全体の筋肉を鍛える発声練習になります。

③次は、たくさんの呼気量を使い「ハ ヘ ヒ ホ フ」と発声します。声帯に空気圧を強く当てる練習です。「ハッ」と声を出し、息を吸い、「ヘッ」と声を出し、息を吸い、というように息を吸う吐く吸う吐くを瞬発的に行う発声練習で、同時に呼吸筋、横隔膜も鍛えます。（三十回セット）

④次は、裏声（頭声）のロングトーン発声により軟口蓋、口蓋垂の引き上げ練習になります。口角や上顎を持ち上げ鼻声を意識して、裏声で「アー」と声を延ばしながら発声をして下さい。裏声は伸展筋を鍛える練習になります。声帯を前後に引っ張ることができれば声が長く延びます。地声で高い声が出しにくい方は、この裏声

のロングトーンを続けると高い声が出しやすくなります。伸展筋と閉鎖筋のバランスを鍛える練習です。（三十回セット）

(9)喉仏を上下に動かすトレーニング（喉頭挙上筋群、胸骨甲状筋）

①音階「ド、レ、ミ、ファ、ソ、ファ、ミ、レ、ド」に母音の「アエイオアエイオウ」をのせたスケールで、音階のリズムに合わせながら言葉も一つ一つハッキリと母音の発音練習をします。（三十回セット）

【喉仏を上下に動かす】

動かす幅を少しずつ
広げていく

重要ポイント！

「イ」と口を動かし舌根に力を入れ動かしてください。舌根と喉仏が上がれば高い声を出しやすくなります。嚥下機能改善にも喉仏を持ち上げる喉頭挙上筋群の筋肉が重要です！五～十秒間持ち上げをキープしてみてください。

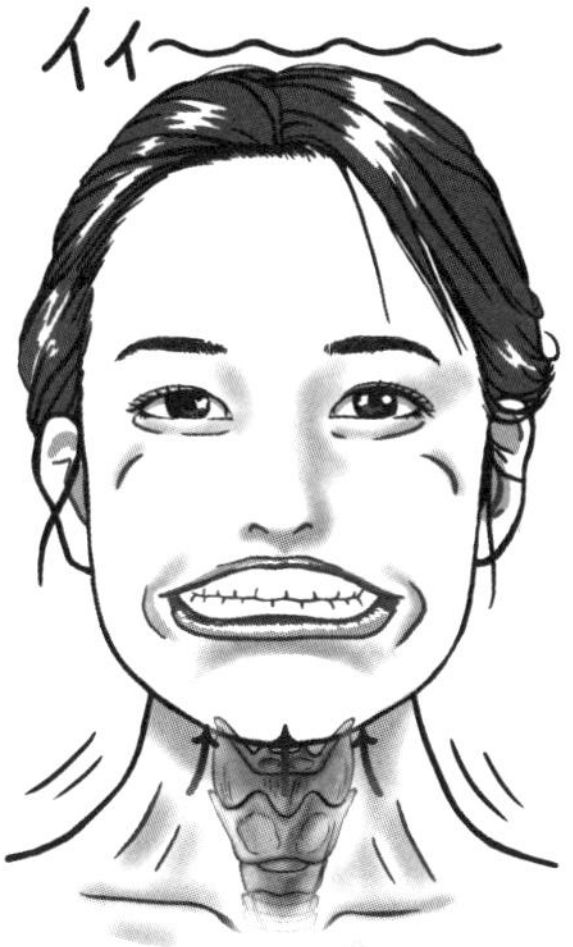

喉周辺に力が入った状態を
5〜10秒間キープする

②次も喉頭挙上筋群胸骨甲状筋を動かすトレーニングメニューになります。「ド」の音階から一オクターブ上の「ド」までをゆっくり「ン」の言葉で音を引きずるように上下にゆっくりと動かす練習です。音階は「ソ」から「ソ」でも構いません。自分が出しやすい音階で行っても結構です。（三十回セット）

③次は半音階の練習です。「ド」「ド＃」、「ド」「ド＃」と音階を上下に「ウ」の言葉で発声し、音を繋げながら喉仏を細かく早く動かすトレーニングです。歌唱の中ではこの半音階は**ビブラート**の練習になります。喉仏を素早く動かし、スピードが早く動かせるようになればビブラートになります。メロディーの上げる練習と下げる練習の両方を取り入れて下さい。（三十回セット）

⑽スタッカート（アクセント）のトレーニング

①口を縦に開けながら、口呼吸のみで空気を素早く吸う、吐く、吸う、吐くを繰り返し、横隔膜を鍛えます。（三十回セット）

※呼吸筋の練習を進めて行くと、だんだん腹筋と背筋が動き始め呼吸筋が大きくなっていきます。

②次は地声を使うスタッカートです。「アエイオウ」の順番で「アッ」と発声し空気を吸う、「エッ」と発声し空気を吸う、繰り返しの発声練習です。瞬発的に声を出すことで、声を大きく強くさせるための練習です。（五十回セット）

※この練習は体に負担がかかります。疾患をお持ちの方は、無理をせず休みながら練習して下さい。

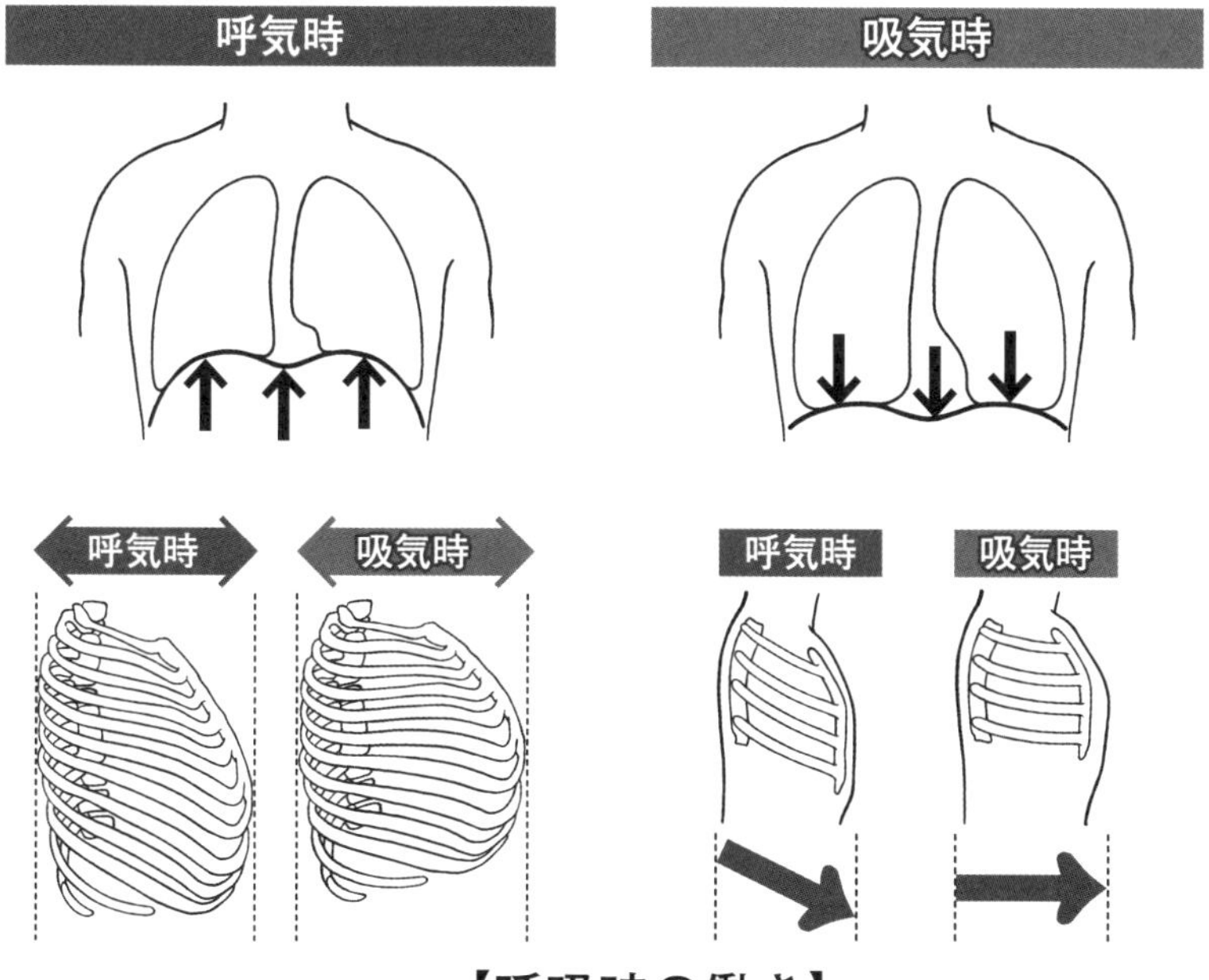

【呼吸時の働き】

⑾濁音と擬音語のトレーニング

①舌根に力を入れ、言葉が切れる様に濁音「ガ」を音階の「ドレミファソファミレド」を使って「ガ、ガ、ガ」と一文字だけ発声します。（三十回セット）

②次は濁音「ガギグゲゴ」を使って音階の「ドレミファソファミレド」で発声します。濁音は力むときに使う言葉です。その力みを利用して顎や口の中、舌根、軟口蓋、口蓋垂、咽頭などに力を入れやすくするためのトレーニングです。（三十回セット）

※濁音は、舌根の力を使い、挙上筋に自然と力が入り喉仏を楽に持ち上げますので、声帯に無理なく高音発声ができるトレーニングメニューになります。

③次は音階の「ドレミファソファミレド」を使って「クエクエ」と発音し唇や表情筋を鍛えます。その他、滑舌、口輪筋を鍛えるための練習にもなります。歌唱の中では、この口輪筋と表情筋は言葉に大きな表現の変化をつけるために必要な筋力になります。（三十回セット）

④次は音階の「ドレミファソファミレド」を使って「クンクン」と発音し、上顎（軟口蓋、口蓋垂、上咽頭）を鍛えます。こちらの軟口蓋、口蓋垂も歌唱時に特に必要です。表現力を使うときにも上顎と舌を意識的に動かすことにより共鳴を変化させ、明るい音や暗い音を作り歌に明暗の変化をさせます。歌を棒読みの様に唄ってしまう方は、この「クンクン」トレーニングメニューが効果的です。（三十回セット）

〈声に関する相談で一番多いのが、高い声を出せるようになりたいというものです。腹式呼吸もとても大事ですが、呼気量だけを強くしても高い声は出ず持続もできません。それ以外に声門閉鎖筋、伸展筋や軟口蓋、口蓋垂、上咽頭の筋力など、総合的に筋肉がバランス良く働くことによって、初めてきれいな響きのある高音を作り出す事ができます。腹式呼吸だけができても高い声は出ませんので、口腔内の筋力アップトレーニングを繰り返ししっかり行って下さい〉

＊＊＊ここに挙げた以外にもトレーニングメニューはたくさんあります。どんなレッスンメニューも繰り返しの練習が必要です。一人一人に合ったボイストレーニングメニューを構築し、提供していくのがボイストレーナーの役目だと思っています。きちんとした指導を受けず、ただ高い声を出す練習をするのは危険です。声帯は消耗品です。一度大きく壊してしまうと二度と元に戻らないケースもありますので、自己判断せず専門機関などに相談しながら練習を行って下さい。＊＊＊

2. 〜高齢者の方のために〜 声を鍛えて体も健康に美しく 発声トレーニングによる嚥下機能改善と誤嚥性肺炎予防方法

高齢者の方の誤嚥性肺炎や嚥下機能低下などが「声」のトレーニングで予防できることは前述しました。

それらの予防のためには、発声ボイストレーニングや歌を歌ったり、又は、ごっくん体操で大きな声を出し、顔面筋や声帯筋（内喉頭筋、声門開大筋、声門閉鎖筋、喉頭挙上筋群）などを動かすことで、喉の周りの筋肉、口腔内を鍛え、また腹式呼吸により横隔膜など腹筋、背筋を鍛えることが大事です。それによって、誤嚥性肺炎の予防や嚥下機能改善などの効果が期待できますし、身体全体の健康面に至るまで、様々な影響力があります。その中でも、効果がある「ごっくん体操」をＴ・Ｖ・Ｐはご提案します。

3.【ごっくん体操】

TAKAHASHI　VOICE　PRODUCTION メソッドによる「ごっくん体操」

この体操は濁音による舌の筋肉トレーニングです。日本語ではあまり使われない舌根を良く動かすことによって、食べ物などを飲み込みやすくしたり、唾液の分泌を活性化させる働きがあります。「がぎぐげご」や「だぢづでど」、鼻濁音の「か゜き゜く゜け゜こ゜」の練習が効果的です。そして一番効果的な練習が擬音語や擬態語（オノマトペ）です。オノマトペには､「さらさら」や「ぴちゃぴちゃ」「ぷるぷる」「ぐつぐつ」など日本語は他の言語と比べて圧倒的にオノマトペの種類が多く、日常会話でも頻繁に使われています。その中で、私のレッスンに取り入れているのが、「ごっくん」、「ぽろぽろ」、「もぐもぐ」です。

現代語では母音が一音一語に対して、オノマトペの基本的なパターンは※ニモーラ・一音節（または二音節）を一拍として四分の四拍子或いは、二分の二拍子の行進曲風リズムに限定されており、三拍子系統のワルツなどはあまりありません。言語発達障がいの方にも認知症の方にもオノマトペの言語の方が知的関心や理解度が高い言語としてオノマトペ辞書など、数多くの論文が出ています。ニモーラ・一音節この発音に慣れていない舌の使い方に効果を発揮します。

※ニモーラ韻律学または音韻論上の単位。

「ごっくん」という言葉の発声は、食べ物など飲み込みにくい方や嚥下機能低下の方に効果的なレッスンです。日常会話での舌の動かし方ではあまり力まず使わない三つの舌の動かし方「ごっ」「く」「ん」と言葉が繋がって入っています。

「ぽろぽろ」は、口元から食べこぼしをしてしまう方に効果的なレッスンです。唇の筋肉が衰えてくると、食べた物をこぼしやすくなるのを防ぐための唇の筋肉トレーニングです。

「もぐもぐ」は誤嚥予防のための口腔内や咀嚼のときに使う顎の筋肉の低下予防にもなります。

私は、これらが高齢者の方に効果があると考えています。脳が自然と反応しやすい理解しやすい音楽や言葉（オノマトペ）を多く使い、話す、歌うことによって脳の活性化に繋がります。これらのことから私のトレーニングでは、擬音語や擬態語を使った歌唱を推奨しています。

①ごっくん体操は嚥下機能改善のための練習です。音階の「ドレミファソファミレド」を使って「ごっくん、ごっくん、ごっくん、」と地声でゆっくり低い音から高い音まで発声しながら繰り返す音階練習を行います。（二十回セット）

②舌根を鍛えるため歌詞を「ごっくん」に変えて童謡『浜辺の歌』を歌いましょう。（二回セット）

③食べこぼしを防ぐため歌詞を「ぽろぽろ」に変えて童謡『ずいずいずっころばし』を歌いましょう。（二回セット）

④口腔内を鍛えるため「もぐもぐ」の言葉で童謡『ロンドン橋』を歌いましょう。（二回セット）

⑤口輪筋を鍛えるため「とくとく」の言葉で童謡『鯉のぼり』を歌いましょう。（二回セット）

⑥滑舌をよくするため歌詞を母音「アエイオウ」に変えて唱歌『仰げば尊し』を歌いましょう。（二回セット）

〈レッスン音源はＴ・Ｖ・Ｐホームページをご覧ください。〉

その他、簡単な舌の筋力トレーニング

「うがい」も舌の筋力トレーニングに効果があります。舌の筋肉が低下していると喉の奥でうがいができません。苦手な方は、一日に三～五回ほど日常生活の中にうがいを取り入れてください。

高齢者施設などでも取り入れられている嚥下体操のパタカラ体操も効果的です。これは「パタカラ」と発音するだけで誤嚥、嚥下予防に効果があります。時計の秒針に合わせて「パタカラ」と三十秒間に繰り返し二十～三十回ほど言えるように練習をします。

これらの舌の筋力トレーニングは、健康維持にもつながり、高齢者に多く支持されています。自宅で簡単にできるトレーニングですので、毎日続けて練習してみてください。

コラム

外郎売《ういろううり》のセリフ

外郎売のセリフは、元々歌舞伎の演者が発声練習のためにこの一文を読んでから舞台に上がっていたようです。現在も、芸能プロダクションや舞台の俳優さんの滑舌の基礎訓練の一つになっています。ゆっくり読むだけでも滑舌の練習になりますので、トレーニングに取り入れてみてください。

拙者《せっしゃ》親方《おやかた》と申すは、御立合《おたちあい》の中《うち》に御存知《ごぞんじ》のお方《かた》もござりましょうが、お江戸を立《た》って二十里上方《にじゅうりかみがた》、相州小田原《そうしゅうおだわら》、一色町《いっしきまち》をお過ぎなされて、青物町《あおものちょう》を登《のぼ》りへお出《い》でなさるれば、欄干橋虎屋藤右衛門《らんかんばしとらやとうえもん》、只今《ただいま》は剃髪《ていはつ》いたして円斎《えんさい》と名のりまする。元朝《がんちょう》より大晦日《おおつごもり》まで、お手に入れまする此《こ》の薬は、昔、ちんの国の唐人《とうじん》、外郎《ういろう》という人、わが朝《ちょう》へ来《き》たり、帝《みかど》へ参内《さんだい》の折《おり》から、この薬を深く籠《こ》め置《お》き、用《もち》ゆる時は一粒《いちりゅう》づつ、冠《かんむり》のすき間《ま》より取出《とりいだ》す。依《よ》ってその名を、帝《みかど》より「頂透香《とうちんこう》」と賜《たまわ》る。即《すなわ》ち文字《もんじ》には、「いただき、すく、におい」と書いて「とうちんこう」と申す。只今は此《こ》の薬、殊《こと》の外世上《ほかせじょう》に弘《ひろ》まり、ほうぼうに似看板《にせかんばん》を出《いだ》し、イヤ、小田原《おだわら》の、灰俵《はいだわら》の、さん俵《だわら》の、炭俵《すみだわら》のと、色々に申せども、平仮名《ひらがな》を似《も》って「ういろう」と記《しる》せしは親方円斎ばかり、もしやお立合《たちあ》いの内《うち》に、熱海《あたみ》か、塔《とう》の沢《さわ》へ湯治《とうじ》にお出《いで》なさるか、又《また》は、伊勢御参宮《いせごさんぐう》の折《おり》からは、必ず門《かど》ちがいなされまするな。お登《のぼ》りならば右《みぎ》の方《かた》、お下《くだ》りならば左側《ひだりがわ》、八方《はっぽう》が八《やつ》つ棟《むね》、おもてが三《み》つ棟玉堂造《むねぎょくどうづく》り、破風《はふ》には菊《きく》に桐《きり》のとうの御紋《ごもん》をご赦免《しゃめん》あって、系図《けいず》正しき薬《くすり》でござる。イヤ最前《さいぜん》より家名《かめい》の自慢《じまん》ばかり申しても、ご存知ない方《かた》には、正身《しょうしん》の胡椒《こしょう》の丸呑《まるのみ》、白河夜船《しらかわよふね》、さらば一粒《いちりゅう》たべかけて、その気味合《きみあ》いをお目にかけましょう。

先《ま》づ此《こ》の薬を、かように一粒舌《いちりゅうした》の上にのせまして、腹内《ふくない》へ納《おさ》めますると、イヤどうも言《い》えぬは、胃《い》、心《しん》、肺《はい》、肝《かん》がすこやかに成《な》って、薫風喉《くんぷうのんど》より来《きた》り、口中微涼《こうちゅうびりょう》を生《しょう》ずるが如《ごと》し、魚鳥《ぎょちょう》、きのこ、麺類《めんるい》の喰合《くいあわ》せ、その外《ほか》、万病速効《まんびょうそっこう》あること神の如《ごと》し。

さて、この薬、第一の奇妙《きみょう》には、舌のまわることが、銭独楽《ぜにごま》がはだしで逃《に》げる。ひょっと舌がまわり出《だ》すと、矢《や》も楯《たて》もたまらぬじゃ。そりゃそりゃそらそりゃ、まわってきたは、廻《まわ》ってくるは、アワヤ喉《のんど》、サタラナ舌《ぜつ》に、カ牙《げ》サ歯音《しおん》、ハマの二つは唇《くちびる》の軽重《けいちょう》、開合《かいごう》さわやかに、アカサタナハマヤラワオコソトノホモヨロオ、一つへぎへぎに、へぎほしはじかみ、盆《ぼん》まめ、盆米《ごめ》、盆ごぼう、摘蓼《つみたて》、つみ豆《まめ》、つみ山椒《さんしょう》、書写山《しょしゃざん》の社僧正《しゃそうぞう》、粉米《こごめ》のなまがみ、粉米のなまがみ、こん粉米のこなまがみ、儒子《しゅす》、緋儒子《ひじゅす》、儒子、儒珍《しゅっちん》、親《おや》も嘉兵衛《かへい》、子《こ》も嘉兵衛、親かへい子かへい、子かへい親かへい、ふる栗《ぐり》の木の古切口《ふるきりぐち》、雨がっぱか、番合羽《ばんがっぱ》か、貴様《きさま》のきゃはんも皮脚絆《かわぎゃはん》、我等《われら》がきゃはんも皮脚絆、しつかは袴《しっかわばかま》のしっぽころびを、三針《みはり》はりながにちよと《ちょと》縫《ぬ》うて、ぬうてちょとぶんだせ、かは《わ》ら撫子《なでしこ》、野石竹《のぜきちく》、のら如来《にょらい》、のら如来、三《み》のら如来に六《む》のら如来、一寸先《いっすんさき》のお小仏《こぼとけ》に、おけつまずきやる《きゃる》な、細溝《ほそみぞ》にどじょにょろり、京《きょう》の生鱈《なまだら》、奈良《なら》なま学鰹《まながつお》、ちょと四五貫目《しごかんめ》、お茶立《ちゃた》ちょ、茶立ちょ、ちやつ《ちゃっ》と立ちょ茶立ちょ、青竹茶煎《あおだけちゃせん》で、お茶ちゃと立ちゃ。来《く》るは来るは、何が来る。高野《こうや》の山《やま》のおこけら小僧《こぞう》、狸《たぬき》百匹、箸《はし》百ぜん、天目《てんもく》百ぱい、棒《ぼう》八百本。武具《ぶぐ》、馬具《ばぐ》、武具、馬具、三《み》ぶぐばぐ、合《あ》せて武具馬具六《む》武具馬具、菊《きく》、栗《くり》、菊栗、三《み》菊栗、合せて菊栗、六《む》菊栗、麦《むぎ》ごみ麦ごみ、三《み》麦ごみ、合せて麦ごみ六《む》麦ごみ、あのなげしの長《なが》なぎなたは、誰《た》がなげしの長薙刀《ながなぎなた》ぞ、向こうのごまがらは、荏《え》の胡麻《ごま》がらか、真胡麻《まごま》がらか、あれこそほんの真胡麻《まごま》がら、がらぴいがらぴい風車《かざぐるま》、おきゃがれこぼし、おきゃがれこ法師《ぼし》、ゆんべもこぼして又こぼした、たあぷぽぽ、たあぷぽぽ、ちりから、ちりから、つったっぽ、たっぽだっぽ一丁《いっちょう》だこ、落《お》ちたら煮《に》てくを、煮ても焼いても喰われぬものは、五徳《ごとく》、鉄《てつ》きゅう、かな熊《ぐま》どうじに、石熊《いしぐま》、石持《いしもち》、虎熊《とらぐま》、虎きす、中《なか》にも、東寺《とうじ》の羅生門《らしょうもん》には茨城童子《いばらぎどうじ》がうで栗五合《ぐりごんごう》つかんでおむしゃる、かの頼光《らいこう》のひざ元去《もとさ》らず、鮒《ふな》、きんかん、椎茸《しいたけ》、定《さだ》めてごたんな、そば切《き》り、そうめん、うどんか、愚鈍《ぐどん》な小新発知《こしんぼち》、小棚《こだな》の、小下《こした》の、小桶《こおけ》に、こ味噌《みそ》が、こ有《あ》るぞ、こ杓子《しゃくし》、こもって、こすくって、こよこせ、おっと、がってんだ、心得《こころえ》たんぼの、川崎《かわさき》、神奈川《かながわ》、保土ケ谷《ほどがや》、戸塚《とつか》を、走って行けば、やいとを摺《す》りむく、三里《さんり》ばかりか、藤沢《ふじさわ》、平塚《ひらつか》、大磯《おおいそ》がしや、小磯《こいそ》の宿《しゅく》を七つおきして、早天《そうてん》そうそう、相州小田原《そうしゅうおだわら》とうちんこう、隠《かく》れござらぬ貴賤群衆《きせんぐんじゅ》の、花のお江戸の花うゐ《い》ろう、あれあの花を見て、お心を、おやはらぎやという、産子《うぶこ》、這《は》う子《こ》に至《いた》るまで、此《こ》のうゐろうのご評判《ひょうばん》、ご存知ないとは申されまいまいつぶり、角《つの》だせ、棒だせ、ぼうぼうまゆに、うす、杵《きね》、すりばちばちばちぐゎらぐゎらぐゎらと、羽目《はめ》をはずして今日《こんにち》お出《い》での何茂様《いづれもさま》に、上《あ》げねばならぬ、売らねばならぬと、息《いき》せい引《ひ》っぱり、東方《とうほう》世界の薬の元締《もとじめ》、薬師《やくし》如来《にょらい》も照覧《しょうらん》あれと、ホホ敬《うやま》って、うゐ《い》ろうは、いらっしゃりませぬか。

第3部

ボイス
トレーニング
の実例

第６章　ボイストレーニングのあれこれ

１．個人レッスン

Ｔ・Ｖ・Ｐのレッスンを実際に受けた方を例にして、
呼吸や発声など「声」について解説します。

⑴受講者：Ａさん　五十代女性

○最初の診断

Ａさんは、以前から声が出にくくなったと感じていましたが、特に気にはしていなかったようです。しかし、若い時から喉を傷めやすかったり、最近では大きい声で話そうとすると、声が篭るようになったりするとのことでした。

○Ｔ・Ｖ・Ｐの診断結果

顎が小さく、下顎が内側に入っているために口が縦に開けづらく声帯の伸展筋、閉鎖筋のバランスがとれていないことが原因で声帯を痛めたり、大きい声が出しにくくなっていたりしました。表情筋が右側だけ上がるのですぐにわかりました。声帯の振動も、左側が小さく、声帯原音が左側からあまり聞こえてきませんでした。横隔膜もあまり動いていないようでしたが、横隔膜の動きが小さければ、腹式呼吸の動きも小さくなります。

胸式呼吸・腹式呼吸については、前述しましたのでここでは詳しい説明は省きますが、Ａさんの呼吸が続かなかったのは、おそらく肺の中に残っている残気を吐いていないからだと思われました。空気を吸おうとしても、空気が肺の中に残っているために新しい空気が吸えなかったのです。普段からあまり肋間筋を使う動作が少なかったために硬くなってしまい、横隔膜も弱いので空気を吐こうと思っても吐ききれなかったようです。気管の入口が適切に開いている状態であれば、強く空気を吸ったり吐いたりすることができるのです。「なるべく最後まで空気を吐ききること」が呼吸を鍛える方法であることを指導しました。

また、喉の奥の舌根が詰まっているようでした。そのため、喉の共鳴腔が狭く、大きい声が出しづらかったようです。

そこで、トレーニングとしては、両足を肩幅に開き、真っ直ぐ前を向いて立ち、口だけを縦に開け、左右の表情筋と胸鎖乳突筋を、横に引っ張ることを行いました。そうすると、鎖骨筋まで動きます。このとき鎖骨筋が動かない場合は、甲状軟骨や声帯筋にも力が入りにくいことになります。

○舌と喉仏

次に、舌と喉仏の動きを見てみました。舌と喉仏は繋がっていますので、舌を上に引っ張ると、喉仏は持ち上がるはずでしたが、Aさんの場合、舌だけが動いて、喉仏が動きませんでした。これは喉仏が硬いということです。

そこでまず、舌筋を鍛える方法として舌回しをしていただきました。すると、舌を回しているうちに「舌の後ろの方が疲れる気がする」「動かしにくい場所がある」という症状を訴えました。これらの症状は、舌の筋力が落ちている証拠です。

○横隔膜について

通常、横隔膜（インナーマッスル）が動いている場合は、口を開けたまま軽く空気の出し入れをすることができます。横隔膜というのはポンプの役割をしますから、呼気量も吸気量も横隔膜の強化トレーニングにより、両方一緒に鍛えることができます。

Aさんの場合は、横隔膜の動きが悪いために、日常生活でも空気を使っている量が少なく、そして、空気を吐く意識があまりありませんでした。そこで、身体の中の空気を吐けるだけ吐く練習が効果的であると指導しました。

次に、口を縦に大きく開けたまま、一瞬止息を意識し、地声で母音の「アー」を延びるところまで延ばす練習を繰り返し行いました。そうすると腹筋・背筋に自然と力が入ったようで、腹式呼吸は少しずつできたようです。多くの方は人間に本来備わっている能力の使い方を忘れているだけです。たくさんの空気を腹筋を使って圧縮するように吐けば、自然と腹式呼吸ができるようになります。

○閉鎖筋について

次に行ったのは、左右の声帯の閉鎖筋を鍛える練習です。止息をした状態から発声をすると母音「ア」がはっきり出ます。そして、声帯の隙間を開けた状態のままで声を出すと、子音「ハ」が大きく出ます。

日本語では、声帯が蓋をした状態で発声できる母音は五つ「ア、イ、ウ、エ、オ」だけなので、この五つの母音が大切になります。母音は、声帯が蓋をした状態で発声できるので、物理的に大きい声を出せるのです。

しかし、子音の呼気量だけが強くなると、声帯の蓋が開いているので息が漏れてしまいますから、いくら声を大きく出そうとしても出ません。むしろ、声帯スリット（声帯の側面）を傷めてしまいます。

○声帯の左右のバランスの調整

左右の声帯の筋肉のバランスの違いによって、声枯れが起きていました。Aさんの場合はどうしても左側が弱いので、その調整を行いました。簡単な調整法として、目線を左にして発声していただきました。これだけでもある程度バランスのとれた発声ができます。

舌回しは左側を多くし、左の胸鎖乳突筋、鎖骨筋に力を入れるよう指導しました。

日常でできることとしては、左で噛むことを習慣にするために、ガムを左側で噛むことも有効な方法とお勧めしました。

歯並び一つでも、筋力差は出てきます。Ａさんは、前年に左の奥歯の神経を抜いて、半年以上治療したとのことでした。その関係で、近年は特に右の歯だけで噛むようになり、また、睡眠中に歯ぎしりをしているようで、起きたときには右側だけが疲れている感じがしていたようです。

また、左右の歯の高さに違いがある様でしたので、これは歯科医院で高さを調整してもらうことができますのでお勧めしました。

以上のような症状から、左側全体の筋肉が弱くなっていたのは明らかでしたので、左側の口、歯、顎、表情筋や体幹を鍛えることを中心にその後のトレーニングメニューをご提案いたしました。

Ａさんは、その後のトレーニングで症状が改善し、今では日常の会話が明瞭になったのは勿論、大きい声もスムーズに出せるようになりました。

○Ｔ・Ｖ・Ｐ提供プログラム

・腹式呼吸
・舌を上に引っ張る
・喉仏を上下に動かす練習（喉頭挙上筋群、胸骨甲状筋）
・地声で呼吸を止めて声を出す練習（声門閉鎖筋）
・子音を使って声帯に空気を強く当てる練習（ハヘヒホフ）

(2) 受講者Bさん　六十代女性

○最初の診断

加齢のためなのか、原因不明により声がかすれている状態が十年も続いていたとのことです。たくさんの病院で診てもらっても原因は分からないと言われ、最終的には「老化現象」と診断されました。

○T・V・Pの診断結果

左の声帯の閉鎖筋が筋力低下していたために声枯れが続いていました。良く話しを聞いてみると、喘息の持病がありました。喘息の人は咳の力により声帯が荒れてしまう傾向が多くみられます。それに薬の副作用でも声帯が伸びてしまうので、声枯れがなかなか治らなかったのでしょう。

○Ｔ・Ｖ・Ｐ提供プログラム

止息による閉鎖筋のトレーニングを始めました。Ｂさんは喘息のせいで呼気の力が強かったので、止息でのトレーニングを行いました。それと空気を少しずつ吐く練習を続けてもらいました。その他、喉仏を上下に動かす練習を繰り返しトレーニングしましたら、声に変化が見えてきました。

・声帯を閉じる練習（止息運動）
・呼気を少しずつ長く吐く練習
・喉仏を上下に動かす練習（喉頭挙上筋群、胸骨甲状筋）
・「ガ」の言葉を使ってのスケール練習（ドレミファソファミレド）

(3) 受講者Ｃさん　七十代男性

○最初の診断

Ｃさんは、昔の病気（がん）のせいで声枯れが治らないと仰ってレッスンに来られました。生活に支障をきたすぐらいの声枯れでした。

○Ｔ・Ｖ・Ｐの診断結果

首周りを見せて頂いたら、首や頬、顎の下の喉頭挙上筋群がガチガチに固まっていました。これでは、声帯も甲状軟骨も動く訳がありません。まずは、舌筋の柔軟や強化から喉頭挙上筋群のトレーニング、呼気量の強化をし、声帯の筋肉強化を提供しました。時間はかかりますが、だんだんと効果が出てきて声が出る様になってきています（現在トレーニング継続中）。

○Ｔ・Ｖ・Ｐ提供プログラム

・顔を上げ、舌を上に引っ張る練習、舌根を下に下げる&舌回し練習（喉頭挙上筋群、胸骨甲状筋）
・濁音や擬音語（ポロポロ体操）によるスケール練習（ドレミファソファミレド）
・鼻からたくさん吸って、一瞬息を止め（十秒）、口から強く吐く練習（呼吸筋）
・声帯を閉じる練習（止息運動）

⑷受講者Ｄさん　八十代女性

○最初の診断

滑舌が悪化しており、声もかすれて頻繁に誤嚥をし、食べ物も飲み込みにくく、よくむせって困っていました。

○Ｔ・Ｖ・Ｐの診断結果

まず、口を開けるようお願いしても縦に大きく口が開かず、舌も盛り上がって舌根が下がりませんでした。唾液の量も少なく、嚥下機能低下がみられました。年齢のこともあり、猫背で背中も曲がっていましたので飲み込みもしづらいはずです。

○Ｔ・Ｖ・Ｐ提供プログラム

・姿勢を正し、肩甲骨を動かす練習
・顔を上げ、舌を上に引っ張る練習（喉頭挙上筋群）
・声帯を閉じる練習（止息運動）
・二度や三度の音階練習や一オクターブの音階練習（喉頭挙上筋群と胸骨甲状筋の強化）

・擬音語（ごっくん体操）によるスケール練習（ドレミファソファミレド）

2. 講座によるレッスン

(1)ライフスタイル・コンシェルジュ様での公開講座

ラウンジセミナー「実践！声をきたえる健康法」を年間数回行っています。始めに、声帯のしくみをわかりやすく簡単に解説しました。声帯は筋肉組織でもあるため、コミュニケーション不足による会話のない生活の増加や、加齢により声を出さないことが増えると声帯の筋力が衰えてしまいます。それを防ぐため胸式・腹式呼吸の違いや、舌筋など声帯の周りの筋肉組織の衰えを防ぐポイントをわかりやすく講義し、実践トレーニングを行いました。

当日行った舌筋トレーニングは、「口の中でほうれい線を伸ばすように舌を右回りに二十回、左回りに二十回」廻すこと、また誤嚥予防にも繋がる「舌を出したまま唾を飲み込む」こと等、簡単なようですが、実際に行ってみると厳しいものばかりでした。

声帯には個人差があり、左右のバランスが崩れると声がかすれ、声の延びが悪くなる原因にも繋がります。特に左の声帯は反回神経と言い、大動脈を反回して脳につながっていますので、左側の声帯は動き難さがあり、声枯れも左の声帯の動きが悪くなる傾向が多いと話をさせて頂きました。普段の生活習慣や既往歴に繋がる説明に納得していただいた方が多かったようです。

(2)日本成人病予防協会様　第四十七回能力開発講座　（平成二十八年十月十五日実施）

「声を出して健康で楽しくなる！～音楽を通した脳の活性法＆ストレス解消法～」と題して、講座を行いました。

一般健康管理士の方のみを対象として、病気予防に繋がる声帯や舌筋の鍛え方を具体的に解説しました。

〝声を出す〟〝歌を歌う〟ということは普段何気なく行っていることですが、実は、健康ととても深い関わりがあり、意識するだけで脳の活性化や認知症予防につながります。また、腹式呼吸によって、たくさんの量の酸素を体に取り入れることができるようになり、それに伴い血行がよくなることで新陳代謝が活性化され、内臓機能が向上することで身体の免疫力を高めていきます。

これらの効果を得るために、正しく発声することが不可欠です。この講座では、表情筋や声帯のしくみ、発声法など、正しい声の出し方を解説し、ストレス解消をはじめ、アンチエイジングなど、様々な年代の方に日常生活に取り入れてお役立ていただける内容を実践しました。

(3)みやぎ・せんだい中途失聴難聴者協会様（年に数回実施）

仙台市委託事業　生活訓練「楽しく学ぶ、誤嚥予防のための発声トレーニング」として、講座をさせて頂いています。難聴者の方々は耳が聞こえにくいため、人との会話が少なく、声を出す機会も日常生活の中で少ないので、誤嚥性肺炎を起こしやすい傾向があり、認知症になる確率が高くなるとも言われています。そのための予防対策として発声トレーニングを年に数回開催させて頂いています。

○参加者アンケート

・五十代女性

嚥下するには喉仏の筋肉、声帯を閉じる筋肉がとても大切だと今まで意識していなかったので、改めて大切さを感じました。普段、声帯の動きを気にしていなかったので、左右対称の動きをしていないことを指摘されました。これから意識してみたいと思いました。

・六十代女性

何回も参加させて頂いております。ポロポロ体操を長く続けられるように努力したいと思っています。コロナ禍なので引きこもっていたけれど参加して良かったです。

・八十代男性

皆様と一緒に大きな声をだせて大変満足しています。改めて発声の大切さを感じました。大変でしたが久しぶりに大きな声を出し、清々しい気持ちになりました。今日は感染予防対策の上、この様な企画をして頂きありがとうございました。これからもまたお願いいたします。

(4)仙台市障がい者福祉協会様

「声を出して健康になろう～喉を鍛えて、誤嚥性肺炎を予防しよう～」と題して身体障がい者の方を対象に、仙台市障がい者健康指導教室にて、発声ボイストレーニングセミナーを今まで三回行いました。高齢者における死亡要因の第三位が肺炎であるため、誤嚥性肺炎予防のためにボイストレーニングを用いて、声を出して喉を鍛え、健康を維持するための発声トレーニングを開催させて頂いています。

(5)企業向けボイストレーニング（二〇二〇年三回実施）

企業様に伺い、「あなたの会社に欲しい『声』はどんな声ですか」と言うテーマをもとに、「聞かせる声作り」のお手伝いを、ボイストレーニングを通して提供しています。お客様に元気を与える声、信頼を感じる声、安定感のある声、また会いたいと思う声など、各企業それぞれほしい「声」は違います。従業員一人一人の「声の診断」も行い、皆様の「声」に対しての意識の向上と健康の維持を目標としてボイストレーニングを行わせて頂きました。

○社長様の受講後の感想

ボイストレーニングと聞くと、カラオケの達人を目指すのか？などと思われるかもしれません（笑）。そうではありません。

私たちが日常発している声そのものを活力あるもの、正しい発声、そういうものをみんなで身につけられれば最高です。

会社全体に活気が生まれ、営業現場でも、電話対応をするときにも、気持ちよい爽やかで歯切れのよい澄み切った張り切った声で、「現場をイキイキ」「東北の元気応援」という会社を体現していきたいのです。

TAKAHASHI VOICE PRODUCTION 代表の高橋寿和氏による体験レッスンを受講し、これは本物だ！とすぐわかりました。これまでもボイストレーナーの方の話を二回ほど聞いたことがありましたが、高橋氏ほどガツンとくるものを感じませんでした。

さて、三回シリーズ（一回二時間）の第一回目は、各人が二〜三分ほどの自己紹介をし、その話す声や喉周りを観察してカルテをつくるところから始まりました。

「Kさんは左の声帯をあまり使っていませんね。右が強いです」などといきなりカルテ診断。

私の場合、声帯の締まりが悪いために、強い息の勢いに負けて、漏れるような発声になっていると指摘されました。そして、もう少しブレスを弱めて発声してみてください、というアドバイスどおりやってみたら、実にバッチリ！なるほど、これはすごい！

そんなこんなで二時間はあっという間。次回も楽しみです。

個人的には舌出しトレーニング五十回を日課として始めました。

3. レッスン受講者の声

特定非営利活動法人みやぎ・せんだい中途失聴難聴者協会
　理事　松本千賀子様
「喉の筋力がどんどん若くなって来ていますね！」
最近、高橋寿和先生から自分の喉の調子を見てもらった一言です。

私は幼少時に小児結核に罹り、ストレプトマイシン注射による副作用で両耳失聴となったために、ピアノの音や自分の声の高低がほとんど分かりません。

子育ても一段落ついたある日、売店で勤務した時にお孫さんを連れた女性の年配者から「あなたの声は変ね、日本人じゃないみたいね？」と言われました。

幼少時に言葉の訓練を受けたため、今まで周りから難聴なのにきれいな声をしていると言われてきていました。それで、自分では上手に発音が出来る方だと信じて疑っていなかったので、とてもショックを受けたことを覚えています。

確かに声は出るものの滑舌が悪く、相手の方から二度聞きされたことが時々ありました。ならば、もっときれいな声を出し、正しい音が取れるようになりたいと思い、仙台市内のカルチャーセンターやプロの歌手のレッスンにも行きました。しかし、そこでは歌の音程を取ることだけが中心で、全て中途半端に終わっていました。

それでも私は諦めきれず、インターネットで調べ、「高橋寿和先生のホームページ」にたどり着きました。ボイストレーニング担当の高橋寿和先生に自分の障がいのことやこれまでの経過などメールを送ったところ、すぐに丁寧なご返信を頂き、初めてレッスンを受けたのが二〇一二年五月。

教室は、小さな畳の部屋の片隅にピアノがポツンと。そこで、背の高いスラっとした高橋寿和先生との最初の出会いです。

初めは私の声や喉の調子などを見て頂き、ピアノのリズムに合わせながら声を長く延ばしたり、息を止めたり、声を切るスタッカートなどによる発声トレーニングでした。三十分間のレッスンを受けた後の自分の喉や声が少し良くなり、さらに心身共に清々しい気持ちにもなっていき、このようなレッスンなら続けてやってみようと思いました。

また、自分の声（喉）がどの位置に当たるのかピアノの振動を手で触りながら覚える独自方法や、音程の高低を先生が手で合図しながら調整するなど、そんな分かりやすい丁寧な指導を三年受け続き、四年目には初めて音楽教室主催の発表会で、東日本大震災で失った古里や亡き友人への想いを綴るオリジナル曲を歌いました。

聞こえにくいことで幼少の頃から音楽が大嫌いだった私が、人の前で歌うことに自分でも驚き、また観客の皆様からの大きな拍手が自分にとって嬉しい励みになり、自信もつくようになりました。

耳が聞こえなくても先生のレッスンを受ければ、私と同様の難聴仲間にもできるのではないかと考え、私が難聴者団体活動で携わっている仙台市委託事業の中でボイストレーニングを企画してみました。

受講後、参加者も自分の声の変化に驚きの声があがり、当事業を何回か企画すると、必ず定員オーバーになるくらいの好評を博しています。

現在は、難聴仲間たちが高橋先生の下で個人やグループレッスンを受けていると聞いて、少しでもお役に立てて本当に嬉しい気持ちになりました。

今でも先生の丁寧なご指導のおかげで、会話相手からの二度聞きもなく、メリハリのある通る声が出るようになりました。

レッスンを受ける度に声に変化が表れ、また喉も声も気持ちも若くなっていくことを、とても感じています。

障がいがあっても声が出ることや歌うことの楽しさ、嬉しさ、大切さを持ち、できることならレッスンをこれからも続けていきたいです。

最後に、高橋寿和先生と出会い、スタッフの皆様の優しさにふれ、本当に幸せな時間をいただき、感謝いたします。

高橋寿和先生の、今後益々のご活躍を祈念しております。

（令和三年一月十七日　寄稿）

元山形大学医学部看護学科教授
元京都橘大学看護学部教授
元宮城大学看護学部教授
順天堂大学医学部医史学研究室研究生
髙橋みや子様

ボイストレーニング受講以前の状況

私は、幼少期から病弱で、学校への登校もやっとという状況でしたので、「歌う」ことはありませんでした。

病弱だった私は、大勢の方々の援助を受けてきたこともあり、人に手助けできる職業につきたいと思い、大学卒業後には、健康に恵まれ助産師や看護系大学の教員として五十数年間教鞭を執っていました。その当時、音楽会で演奏を聴き楽しむようになっておりましたが、自分とは別世界のでき事だと思っていました。

そんなある日、偶然にも仙台のある音楽会会場で、幼少期に近所に住んでいた幼友達にバッタリ出会い、誘われるままに、年齢も声も念頭にないまま合唱団に入団しました。

当然のことながら、合唱団では「声」が重要です。ある日、ピアノの音に合わせて、一人ずつ発声をさせられたところ、私は、どのような音が求められているのか、対応したつもりの〈自分の声〉がどのような音かも全く分からず、指導者の「違う！！もう一度！！違う！！」という声が、響き渡りました。

その出来事に私は大変ショックを受けました。その瞬間まで、〈自分の発する「声」〉を意識することは全くなかったのです。教鞭をとっている間、常に「マイク」を用いて事足りていましたので、さすがに、反省して慌てふためきました。その状況を見た知人が私を心配し「とても親切に指導して下さる先生がいらっしゃるけど、ご紹介しましょうか」と高橋寿和先生を紹介して下さったのです。

初めての体験レッスン受講時（七十七歳）の状況は、今考えると恥ずかしくて穴に入りたい気分です。

先生の指導を受けながら、現状を診断して頂いたところ、私の顔の筋肉は全く動かず、口は縦・横共に開かない。舌は全く動かず、呂律が回らない。かつ肺活量は少なく、声は小さく単調で出せる音階は「ソ」以下という状況でした。

それから、早速私はボイストレーニングを開始しました。

最初に、解剖生理学に基づき、ホワイトボードやご自分の口や顔を使って丁寧な説明があり、それに続いて、先生自らがデモンストレーションしながら、口の縦横の開け方、舌の廻し方、顔の筋肉運動、安定した立位や胸式呼吸・腹式呼吸を実践しました。これによってイメージがはっきりしました。

例えば口を開く等々、全て私の想像を超えていました。焦りまくっている私に、高橋先生は終了後にはどこができて、どこがどんな理由でできていないのか等を指摘し、次回レッスンまでどのような自己練習をすればよいのかを具体的に丁寧に説明して下さいました。

私は、自宅で鏡を見ながら、簡単なようで実際は難しい運動を毎日練習し、一か月位経つと口が縦横に開き、舌が回り、声を一オクターブ発声できるのを実感し、練習に弾みがつきました。

この時点で、ボイストレーニングが、空理空論ではなく、解剖生理学、音声学に基づいた理論であるということが理解でき、独自の基礎発声法を用いたボイストレーニングから、嚥下機能改善方法に関して、高橋先生が教育内容や教育方法について深く研究なさり、非常に造詣が深いと思いました。

また、解剖生理学に基づいた的確な指導や、高橋先生のリードにより見える形でレッスンが実践され、適切な診断・計画・実施・評価・再計画のサイクルに基づいて行われているのに気づきました。

ボイストレーニングレッスン二か月後には、声を一オクターブ以上楽に出せるようになりました。二オクターブ目は、喉及び口腔の解剖を知った上で、口腔の解剖をイメージしながら、ピアノの音と高橋先生の声がけを頼りに空気を口腔から喉の筋肉後頭部にあてて発声し、喉の筋肉に一つずつ記憶してゆく作業でした。階段を一段ずつ上るような気分で時間をかけて練習しました。レッスン後の評価と次回に向けての課題に頼るレッスンの日々でした。

受講から五か月目。ボイストレーニングが実り、声量は少ないながら合唱団の二〇一九年五月の海外公演（イタリア）に七十七歳の合唱団員として参加でき、ヴェルディハウスやヴェルディ歌劇場で合唱するという夢を達成できました。

さらに、同年十一月オペラ「ウノ」の初演に参加。大勢の方々がオペラを必死になって組み立てるのに参加し、〔自分の声〕に関する新たな刺激を受けました。この予想外の成り行きに、姉弟をはじめ大勢の職場関係者や知人が非常に驚き、賛辞を下さいました。

この時に、改めて「ボイストレーニングには年齢にはまったく関係なく挑戦することができ、要は、自分の情熱と目標の持ち方だ、若い人々より数倍時間がかかるが努力次第だ」ということに気づきました。

その後、声は二オクターブ出せるようになりましたが、声量がなく長く続かないので、下顎や喉の筋肉と舌骨や口腔の筋肉の強化、声帯の素早い上げ下げ、胸腔や腹腔の筋力強化するために、現在もボイストレーニングの訓練中です。生活面では、毎日適量のタンパク質をとり、毎日「発声する、歌う、運動する」等も意識し、心身共にだんだん健康的な生活となってきました。

声がでる結果、歌うこと自体が苦ではなく毎日の生活が楽しくなっています。また、合唱団や催しへの参加、訪問等々、多くの人々との交流が苦でなくなり、地域向けコンサートへ気楽に参加し、地域の人々とフランクに交流を深めるなど、第三の人生がより生き生きとし豊かになってきたと実感しています。

このように、ボイストレーニングを受けたことにより七十七歳以降の第三の人生の過ごし方がガラッと変わるとは夢にも思っていませんでした。

これも、高橋寿和先生が、一生懸命に解剖生理学・音声学に基づいたボイストレーニング理論を開発し、それを受講者の目前で自ら実演して手本を示し、的確な声がけや励ましをしながら、到達目標に向けて練習を進めるという**高橋寿和式ボイスト**

レーニング方法によるものです。

また、誤嚥予防法や嚥下機能についての的確なアドバイスも、大変興味深く勉強になりました。

私のこれまでの職業経験からみても、高橋先生は優秀な人材と見受けられます。

最後に、高齢者の方々や声に問題があると考えている方々に「高橋寿和式ボイストレーニングを受け、新しい第三の人生を創って行きませんか」と声を大にしてお誘いしたいです。

TAKAHASHI VOICE PRODUCTION(T.V.P)

1.　ヘルスボイストレーニング

最近声が出しにくい、喉に違和感があるなど、老化による声の擦れ、嚥下機能の改善、誤嚥性肺炎の予防のための、シニア向けの予防トレーニングを行っています（40代以上）。

形　態	少人数レッスン（3名様まで）**45分間** グループレッスン（5名様まで）**60分間** プライベートレッスン**30分間**	回　数	月2回

2.　ボーカルボイストレーニング

プロ志向の方や、歌が上手になりたい方のためのレッスンです。一人一人に合わせた声の調律を行い、カラオケは勿論、趣味や仕事で歌を歌う方に丁寧かつ的確なレッスンを提供しています。

対　象	プロの歌手やアーティスト育成、舞台俳優、ミュージカル俳優などを目指している方（小学生以上）、歌が上手になりたい方。		
形　態	プライベートレッスン **30分間** または **45分間**	回　数	月2回

3.　ベーシックボイストレーニング

歌唱の基本を学びたい方のためのレッスンです。声量を増やしたい方、音感を養いたい方、音域を広げたい方など、よりよい発声をするための基本を学ぶ理論的なトレーニングを行います。

対　象	声量を増やしたい方、音感を養いたい方、音域を広げたい方、歌唱の基本を学びたい方（小学生以上）		
形　態	少人数レッスン（3名様まで）**45分間** グループレッスン（5名様まで）**60分間** プライベートレッスン**30分間**	回　数	月2回

企業向けボイストレーニング

お客様の印象に残る「聞かせる声」をつくります。

私は、人の第一印象は「声」だと思っています。「聴覚は五感の中でも、特に記憶と深いかかわりがある」とも言われ、人の顔の記憶はすぐに薄れても、声の記憶は長期に亘って残るものです。

普段、人との会話や話を聞いているときに、話の内容が曖昧になったり、聞き取りづらさに違和感を覚えたりすることはありませんか。

それは、「話している相手に声が届いていない」ことが原因です。表情や話し方も大事ですが、何より「声のパワー」が大切です。あなたも人の記憶に残る良い声を鍛えて、仕事に活気を与えてみませんか。

経営者の方のプライベートトレーニングはもちろんのこと、従業員の方々の「接客」における「声による印象向上」のお手伝いをさせていただきます。

まずは、ぜひご自身でご体験ください。

参考文献

榊原健一著『やさしい解説　発声と声帯振動の基礎』日本音楽学会誌七十一巻　2015年
森於菟、小川鼎三、大内弘、森富著『解剖学　第一巻（改訂十一版）』金原出版　1982年
貴邑冨久子、根来英雄著『シンプル生理学（改訂第六版）』南江堂　2008年
エレインN.マリーブ著『人体の構造と機能　第三版』医学書院　2010年
Richard L.Drake, A.Wayne Vogl, Adam W.M.Mitchell著『グレイ解剖学原著第三版』エルゼビア・ジャパン　2016年
武者利光著『ゆらぎの発想〜1／fゆらぎの謎にせまる』日本放送出版協会　1994年
武者利光編『ゆらぎの科学』森北出版　1991年
大森孝一著『喉頭の臨床解剖』日本耳鼻咽喉科学会会報　2009年
福島英著『ヴォイストレーニング基本講座』シンコーミュージック・エンタテイメント　2006年
富士松亀三郎著『三味線の知識・邦楽発声法』南雲堂　1964年
中原多代著『声とからだ―声の文化「んとN」―』ヤマハミュージックメディア　1996年

フレデリック・フースラー／イヴォンヌ・ロッド＝マーリング著　『うたうこと　発声器官の肉体的特質』　音楽之友社　1987年
コーネリウスL・リード著　『ベル・カント唱法　その原理と実践』音楽之友社　1986年
D.F. プロクター著　原田康夫訳　『呼吸、発声、歌唱』西村書店　1995年
亀渕友香著　『発声力「ボイストレーニング」であなたの人生が変わる！』ＰＨＰ研究所　2003年
静岡大学教育学部研究報告（教科教育学篇）第四十五号（2014,3）

あとがき

私がボイストレーナーとして活動を初めて約二十年になりますが、ご年配の方のレッスンを通して、このボイストレーニングが健康維持に役立つのではないかと思い始め、健康のためのボイストレーニングとして十二年ほど前から取り組んできました。レッスンを続ける中、皆様の喉の健康状態が良くなって行く事を実感し、改めてボイストレーニングの必要意義を感じました。

ここ数年の間に書店などでも喉のトレーニングや誤嚥性肺炎、嚥下機能改善トレーニングの書籍を目にする様になりましたが、昨今のコロナ禍により肺機能の向上、または口腔内機能向上に注目が集まり、呼吸や舌のトレーニングが多く知られるようになりました。

私が長年の間疑問に思っていたことは、何故、多くの人が体を鍛えるためにジムに通うなどをして運動をするのに、自分の体の一部でもある「喉」を鍛えることに関心を持たない方が多くいらっしゃるのかということでした。磨けば光り輝く自分の「声」に意識が向かない方が多いのが疑問でした。「声」は、家族や友達とのコミュニケーションをとるためにも、学生が就職活動での面接の場でも、社会に出てから会社同士の交渉でも、もちろん高齢者の日常生活の中でも、「声」の力はこれからの時代に必要不可欠なものです。

元々、私のボイストレーニングは、呼吸筋や舌や喉の筋力アップトレーニングを重視していますので、これからますます幅広い年代の皆様のお役に立てることと思います。

今回、この本の出版に対して松本千賀子様、髙橋みや子様ならびに金港堂出版部菅原真一様には大変お世話になりました。感謝申し上げます。また、書籍を出すにあたってご協力と応援を頂きました受講者の皆様、本当にありがとうございました。そして、いつも影の大きな力となって、いつも助けてくれている家族に感謝しております。

そして、この本を通して毎日の生活にボイストレーニングを身近に感じて、活用して頂けると嬉しく思います。最後までお読みいただきありがとうございました。

声のための教科書 ～あなたの声の心のSOS～
令和 3年 6月 1日 初 版

検 印
省 略

著 者 高 橋 寿 和
発 行 者 藤 原 直
発 行 所 株式会社金港堂出版部
仙台市青葉区一番町2-3-26
電話 022-397-7682
FAX 022-397-7683
印 刷 所 株式会社仙台紙工印刷

ISBN978-4-87398-137-6